MIS AMIGOS DE

EL BARCO
DE VAPOR

Los enemigos de

Pablo Diablo

Francesca Simon · Ilustraciones de Tony Ross

Dirección editorial: Elsa Aguilar
Coordinación editorial: Gabriel Brandariz
Coordinación de diseño: Felipe Samper
Diseño de interior: Leticia Esteban García-Maroto
Traducción: Miguel Azaola
Ilustraciones: Tony Ross

Título original: Horrid Henry's evil enemies
Publicado por primera vez en Gran Bretaña
por Orion Children's Books

© Francesa Simon, 1994-2004
© Tony Ross, 1994-2004
© Ediciones SM, 2009
Impresores, 2
Urbanización Prado del Espino
28660 Boadilla del Monte (Madrid)
www.grupo-sm.com

Centro de Atención al Cliente
Tel.: 902 121 323
Fax: 902 241 222
e-mail: clientes@grupo-sm.com

ISBN: 978-84-675-3522-8
Depósito legal: M-14996-2009
Impreso en España / Printed in Spain
Imprime: Monterreina

Contiene chip de sonido
con batería no recargable. El chip de sonido
se encuentra debidamente protegido,
por lo que no debe extraerse ni manipularse.
El chip se activa en contacto con la luz.
Este libro y el chip de sonido que incorpora
cumplen todas las normas de seguridad de la

LOS enemigos de

Pablo Diablo

Francesca Simon · Ilustraciones de Tony Ross

Traducción de Miguel Azaola

Sospechosos habituales

PABLO DIABLO

Marga Caralarga

–¡Soy el Capitán Garfio!

–¡No, yo soy el Capitán Garfio! ☠

–¡Yo soy el Capitán Garfio!
—insistió Pablo Diablo.

–¡El Capitán Garfio soy yo!
—insistió Marga Cara l a r g a.

Se miraron desafiantes.

–El garfio es mío —dijo Marga Cara l a r g a.

Marga Cara l a r g a vivía en la cAsa de al lado.
No le gustaba Pablo Diablo,
y a Pablo Diablo tampoco le gustaba ella.
Pero cuando Peporro estaba ocupado,
Arturo tenía la gripe
y Susana estaba enfadada con ella,
Marga saltaba la tapia para jugar con Pablo.

–Creo que ya es hora de que me toque
a mí ser el Capitán Garfio
—dijo Roberto, el niño perfecto–.
Ya he sido el prisionero bastante rato.

—¡Prisionero, cállate!
—le ordenó Pablo.

—¡Prisionero, que te pasamos por la quilla!
—le amenazó Marga.

—Pero si ya me habéis pasado por la quilla catorce veces
—protestó Roberto—. ¿Puedo ser Garfio ya, por favor?

—¡No, rayos y truenos! —rugió Marga Caralarga—.
¡Y apártate de mi camino, gusano!
—siguió agitando su garfio y empuñando su espada,
mientras se pavoneaba por la cubierta en plan fanfarrón.

Marga tenía parches para ojos y calaveras
y tibias cruzadas y sombreros con plumas
y alfanjes y sables
y cuchillos de monte.

Pablo tenía un palo.
Por eso jugaba con Marga
Pero, antes de jugar con las armas de Marga,
Pablo tenía que hacer siempre unas cosas espantosas.
A veces tenía que sentarse a esperar
mientras ella leía un libro.

A veces tenía que jugar
con ella a **«PaPáS y MaMáS»**.
Y lo peor era,
y esto no se lo contéis a nadie,
que a veces le tocaba el papel de **bebé**.

Pablo nunca sabía qué iba a hacer Marga.

Como cuando le puso una araña en el brazo
y Marga se echó a reír.

O como cuando le tiró del pelo
y Marga le **tiró** más fuerte del suyo.

Cuando Pablo grita**ba**,
Marga gritaba todavía más **fuerte**.
O se ponía a *c a n t a r*.
O hacía como que no le oía.

A veces, Marga era *divertida*.
Pero la mayor parte del tiempo era una caprichosa
y una cascarrabias.

—Si no soy Garfio, no pienso jugar
—dijo Pablo Diablo.

Marga lo pensó un momento.

—Podemos ser Capitán Garfio los dos.

—¡Pero si solo tenemos un garfio!
—dijo Pablo.

—Con el que yo no he jugado aún —dijo Roberto.

–¡CÁLLATE, prisionero!
—gritó Marga–. Marinero, llévatelo al calabozo.

–  —dijo Pablo.

—Tendrás tu recompensa
—dijo el capitán agitando su garfio.

El marinero pirata arrastró al prisionero
hasta el calabozo.

—Prisionero, si te estás bien calladito, serás l i b e r a d o
y podrás ser pirata tú también
—dijo el *Capitán Garfio*.

—Y ahora dame el garfio
—ordenó el marinero.

El capitán se lo entregó de mala gana.

—Ahora, yo soy el Capitán Garfio y tú eres el marinero pirata —anunció Pablo—. ¡ordeno que todo el mundo sea pasado por la quilla!

—Ya estoy harta de jugar a piratas —dijo Marga—. Vamos a jugar a otra cosa.

Pablo se **enfureció.**
Aquella era la verdadera Marga.

—Pues yo pienso jugar a piratas —dijo Pablo.

—Bueno, pues yo no —repuso Marga—. Devuélveme mi garfio.

—NO —respondió Pablo.

Marga Cara l a r g a abrió la boca y gritooooOOOÓ. Cuando se ponía a ello, Marga podía gritar durante h o r a s y h o r a s.

Pablo le dio el garfio.

Marga sonrió.

—Tengo hambre —dijo—. ¿Tienes algo bueno de comer?

Pablo tenía siete galletas de chocolate
y dos paquetes de patatas fritas escondidos en su cuarto,
pero no estaba dispuesto en absoluto
a compartirlos con Marga.

—Te puedo dar un rábano
—declaró Pablo.

—¿Qué más? —preguntó Marga.

—Una zanahoria
—añadió Pablo.

—¿Qué más? —insistió Marga.

—GLOP —dijo Pablo.

—¿Qué es glop?

—Algo especial que solo sé hacer yo
—explicó Pablo.

—¿De qué está hecho? —preguntó Marga.

—Es secreto —dijo Pablo.

—Apuesto a que es asqueroso —comentó Marga.

—Pues claro que es asqueroso
—afirmó Pablo.

—Yo sé hacer el glop más asqueroso de todos
—dijo Marga.

—Lo dices porque no tienes ni idea.
Nadie es capaz de hacer un glop más asqueroso
que el que hago yo.

—Apuesto a que no te atreves a comer glop
—le desafió Marga.

—Y yo te reboto la apuesta a que no te atreves tú
—replicó Pablo—.
Así que te toca a ti empezar.

Marga se puso en pie muy tiesa.

—Muy bien. El glop se empieza a hacer
con caracoles y gusanos.

Y empezó a hurgar entre los arbustos.

–¡Tengo uno!
–gritó con un caracol **gordo**
en la mano.

—Y ahora, a por unos cuantos gusanos
—dijo.

Se puso a gatas y empezó a escarbar
un agujero en el suelo.

—En el glop no se puede echar nada de fuera de la casa
—se apresuró a decir Pablo—. Solo cosas de la cocina.

Marga miró a Pablo.

—Creí que se trataba de hacer glop –dijo.

—Pues claro –dijo Pablo–.
Pero a mi manera, porque esta es mi casa.

Pablo Diablo y Marga Carala r g a
entraron en la blanca y resplandeciente cocina.
Pablo se apoderó de dos **cucharones**
de madera y un **enorme** perolo rojo.

—Empezaré yo –dijo Pablo.
Se dirigió a un armario y abrió las puertas de par en par–.
¡Copos de avena! –dijo. Y echó unos pocos a un bol.

Marga abrió la nevera y miró dentro.
Se apoderó de un pequeño recipiente.

—¡Sobras de sémola blanducha! –gritó.
Y fueron al bol.

—¡Repollo!   —¡Espinacas!

—¡Café!   —¡Yogur!

—¡Harina!   —¡Vinagre!

—¡Fabada!

—¡Mostaza!

—¡Crema de cacahuete!
—¡Queso mohoso!

—¡Pimienta!

—¡Naranjas podridas!

—¡Y Ketchup! –gritó Pablo.

15

Y soltó un chorretón tras otro hasta que dejó vacía la botella.

–¡Ahora, a revolver!
–dijo Marga.

Pablo Diablo y Marga Caralarga
agarraron cada uno su cucharón de madera
con ambas manos, los hundieron en el glop
y empezaron a revolver.

Fue un trabajo arduo
y fatigoso.

Revolvieron
cada vez más deprisa,
cada vez con más fuerza.

Había glop en el techo.

Había glop en el suelo.

Había glop en el reloj
y glop en la puerta.

El pelo de Marga
estaba cubierto de glop.
La cara de Pablo, también.

Marga miró dentro del bol.
No había visto nada tan asqueroso en su vida.

–Está en su punto –declaró.

Pablo Diablo y Marga Cara l a r g a
llevaron el glop a la mesa.

Luego se sentaron y se quedaron mirando
el viscoso, baboso, asqueroso, pringoso, apestoso, plastoso,
pegajoso, g o m o s o, grasoso y vomitoso glop.

–Vale –dijo Pablo–.
¿Quién es el primero que come un poco?

Hubo una pausa muy l a r g a .
Pablo miró a Marga.

Marga miró a Pablo.

_Yo –dijo Marga–.
A mí no me da asco.

Sacó del bol
una buena cucharada
y se la metió rápidamente
en la boca.

Luego tragó.
Su cara se volvió roja,
morada y verde.

17

-¿Qué tal sabe?
—preguntó Pablo.

-Bien
—dijo Marga, intentando no atragantarse.

-Pues toma un poco más
—dijo Pablo.

-Ahora te toca a ti
—apuntó Marga.

Pablo se sentó un momento
y miró el glop.

-A mi madre no le gusta
que coma entre horas
—dijo Pablo Diablo.

-¡PABLO!
—gritó Marga Caralarga.

Pablo llenó a medias su cuchara.

-¡Más! —dijo Marga.

Pablo la llenó un poquito más.
El glop se bamboleaba temblón en la cuchara.
Parecía...

Pablo prefirió no pensar en lo que parecía.

Cerró los ojos y se acercó la cuchara a la boca.

—Hummm, ñammm
—dijo Pablo.

—Ni siquiera lo has probado
—acusó Marga—. Eso no vale.

Puso una dosis de glop en su cuchara y...

No quiero ni pensar en lo que hubiera ocurrido
a continuación si no los hubieran interrumpido.

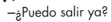

—¿Puedo salir ya?
—preguntó una vocecilla desde el exterior—.
Me toca ser el Capitán Garfio.

Pablo Diablo se había olvidado por completo
de Roberto, el niño perfecto.

—¡Vale! —gritó Pablo.

Roberto se asomó a la puerta.

—Tengo hambre —dijo.

—Pasa, Roberto
—dijo Pablo—. Tienes la cena servida.

RECETAS ESPECIALES DE GLOP

GLOP DE GUSANOS:

Gusanos

berenjena

barro

vinagre

sal

GLOP PODRIDO:

Piel de plátano

limones podridos

gachas de avena fría

rábano picante

bebida de cola

GLOP DE PASTA
DE DIENTES:

Natillas grumosas

coles de Bruselas

peladuras

pasta de dientes

yogur

mostaza

El Indescifrable Código Secreto
de Pablo Diablo

A=Z	J=Q	S=H
B=Y	K=P	T=G
C=X	L=O	U=F
D=W	M=N	V=E
E=V	N=M	W=D
F=U	O=L	X=C
G=T	P=K	Y=B
H=S	Q=J	Z=A
I=R	R=I	

**ATENCIÓN:
¡NO MIRAR
EN LA PÁGINA 175!**

PABLO DIABLO

y el club secreto

–¡Alto! ¿Quién va?

–¡YO!
–contestó Susana Tarambana.

–¿Quién es yo? –preguntó Marga
Caralarga–. ¿Cuál es
el «santo y seña»?

–Estooo...
Susana Tarambana hizo una pausa.

«¿Cuál era el santo y seña?» Pensó, pensó y pensó.

–¿Patatas?

Marga dio un **fuerte** suspiro.
¿Por qué sería amiga de una persona tan estúpida?

–No, ese no es.

–Sí lo es –insistió Susana.

–Patatas era el santo y seña
de la semana pasada
–la corrigió Marga.

—No lo era.

—Sí lo era —dijo Marga Cara l a r g a—.
Además, es mi club, y yo soy la que decido.

Hubo una l a r g a pausa.

—De acuerdo —admitió **irritada** Susana—.
¿Cuál es el santo y seña?

—No sé si decírtelo —opinó Marga—.
Podría estar pasándole un secreto muy importante al **enemigo**.

—Pero yo no soy el **enemigo**
—protestó Susana—. Soy Susana.

Susana miró por encima de su hombro.
No había enemigo alguno a la vista.

—¡Chisss! —dijo Marga—. Pablo no tiene que enterarse
de quién pertenece al club Secreto.

Dio dos silbidos.

—Todo despejado —dijo Susana—. Ahora déjame entrar.

Marga Cara l a r g a
se quedó indecisa por un momento.
Dejar entrar a alguien sin el santo y seña
quebrantaba la primera regla del club.

—Demuéstrame que eres Susana,
y no el **enemigo** haciéndose pasar por Susana
—pidió Marga.

—Sabes muy bien que soy yo.

—Pruébalo.

—Llevo puestos los zapatos negros de charol
con flores azules que me pongo siempre.

Susana metió un pie dentro de la tienda de campaña.

—No es suficiente —replicó Marga—.
El **enemigo** puede haberlos robado.

—Estoy hablando con la voz de Susana
y tengo la cara de Susana
—dijo Susana.

—No es suficiente —insistió Marga—.
Puede que el enemigo sea un maestro del disfraz.

Susana dio una patada en el suelo.

—Pues yo sé que fuiste tú la que pellizcó a Rosa
la Patosa, y se lo pienso decir a la señorita...

—Acércate más a la entrada de la tienda —le pidió Marga.

Susana se inclinó hacia delante.

—Y ahora escúchame bien
—dijo Marga—, porque solo voy a decírtelo una vez.
Cuando un miembro del club secreto quiere entrar,
debe decir **«MAGANDÁN»**. Y cualquiera que esté dentro
le contestará **«MAGANDÁN JAPÚN»**.
Así es como yo sabré que eres tú y tú sabrás que soy yo.

—Magandán —dijo Susana Tarambana.

Magandán Japún
—respondióMarga Caralarga—. Pasa.

Susana entró en la sede del club.
Le dio a Marga el apretón de manos secreto,
se sentó sobre su cajón y se enfurruñó.

—Has sabido todo el rato que era yo
—protestó.
Marga la miró con irritación.
—Esa no es la cuestión.
Si no estás dispuesta a respetar las reglas del club, puedes irte.
Susana no se movió.
—¿Puedo comerme una galleta? —preguntó.
Marga sonrió indulgentemente.
—Toma dos —respondió—. Y vamos a lo nuestro.

27

—El sábado por la mañana
—apuntó Susana—.
Por delante de la casa pasó una señora
de pelo canoso con boina.

—¿De qué color era la boina? —preguntó Marga.

—No sé —respondió Susana.

—Pues vaya una espía, que ni siquiera sabes
el color de la boina
—dijo Marga.

—¿Te importa que siga con minforme? —preguntó Susana.

—No seré yo quien te interrumpa —repuso Marga.

—Luego vi al enemigo salir de la casa
con su hermano y con su madre.
El enemigo dio patadas a su hermano dos veces.
Su madre le gritó. Luego vi al cartero…

—¡MAGANDÁN! —atronó una voz desde fuera.

Marga y Susana se quedaron heladas.

—¡¡¡MAGANDÁN!!!
—volvió a atronar la voz—. ¡Sé que estáis ahí!

–¡Nooooo!
—graznó Susana.

–¡Pablo!

—¡A esconderse, rápido!
—susurró Marga.

Las dos agentes secretas se agacharon detrás de unas cajas.

—¡Le has dado nuestro santo y seña! —susurró Marga con **furia**—. ¡Será posible!

—¡Yo no he sido! —susurró Susana—.

¿Cómo voy a habérselo dado, si ni siquiera me lo sé? ¡Se lo habrás dado tú!

—¡Yo no se lo he dado! —susurró Marga.

–¡¡¡MAGANDÁN!!! —volvió a atronar Pablo—. ¡Tenéis que dejarme entrar! Me sé el santo y seña.

—¿Qué hacemos? —susurró Susana— Tú has dicho que los que sepan el santo y seña pueden entrar.

–Por última vez: ¡MAGANDAÁAAN! —vociferó Pablo Diablo.

—Magandán Japún —respondió Marga—. Entra.

Pablo entró orgullosamente en la tienda.
Marga le dirigió una mirada asesina.

—El gusto es mío —dijo Pablo,
apoderándose de todas las gallet ⊙ s de **chocolate**
y metiéndoselas a puñados en la boca.

Luego se repantigó sobre la alfombra desparramando migas
por todos lados

—¿Qué estáis haciendo? —preguntó.

        —Nada —repuso Marga Cara l a r g a.

                —Nada —repitió Susana Tarambana.

—No me lo trago —dijo Pablo.

—Tú métete en lo que te importa
—le respondió Marga—.
Venga, Susana, vamos a votar
si dejamos entrar a chicos. Yo voto que NO.

—Yo también voto que NO —dijo Susana.

—Lo siento, Pablo. No puedes ser del club, así que vete.

—NO —dijo Pablo.

—¡VETE! —le ordenó Marga.

—oblígame —contestó Pablo.

Marga tomó todo el aire que pudo.
Luego abrió la boca y gritó.

Nadie era capaz de gritar
tanto r a t o , tan **fuerte**
y de forma tan penetrante
como Marga Caralarga.
Pocos instantes después,
Susana se puso también a gritar.

Pablo se levantó de un salto
y derribó el cajón que hacía las veces de mesa.

—¡Mucho ojo! —advirtió Pablo—.
¡Porque la Man Negra volverá!
—dio media vuelta para marcharse.

Marga Caralarga saltó a su espalda
y le dio un **empujón** a través de la entrada.

Pablo aterrizó sobre un montón de tierra fuera de la tienda.

—¡No podréis conmigo! —gritó Pablo.
Se levantó y saltó al otro lado del muro del jardín—.
¡La Man Negra es la mejor!

—Vale —murmuró Marga—. Eso ya lo veremos.

Pablo volvió la vista atrás para asegurarse
de que nadie le observaba. Luego regresó furtivamente
a su guarida.

—Sapos malolientes —susurró.

Las ramas se separaron. Pablo trepó al interior.

—¿Las has atacado? —preguntó Roberto.

—Pues claro —aseguró Pablo—.
¿No has oído gritar a Marga?

—He sido yo el que ha oído su santo y seña.
Creo que debería haber ido yo —dijo Roberto.

—¿De quién es este club? —preguntó Pablo.

Las comisuras de la boca de Roberto
empezaron a torcerse hacia abajo.

—¡Muy bien! —dijo Pablo—. ¡Fuera!

—¡Lo siento! —se disculpó Roberto—.
Por favor, Pablo, ¿puedo ya ser miembro
de verdad de La Man 🖐 Negra?

—No —contestó Pablo—. Eres demasiado pequeño.
Y que no se te ocurra meterte en la guarida
sin que esté yo aquí.

—No lo haré —dijo Roberto.

—Bueno —dijo Pablo—. Pues este es el plan.
Voy a ponerle a Marga una trampa en la tienda,
de modo que cuando entre en ella...

Pablo soltó una chirriante risotada al imaginarse
a Marga Caralarga cubierta de agua helada y fangosa.

Las cosas no iban del todo bien en el c l u b   s e c r e t o
de Marga Caralarga.

—Es culpa tuya —decía Marga.

—No lo es —decía Susana.

—Eres una cotorra, y además, una pésima espía.

—No lo soy.

—Bueno, pues yo soy la jefa y te echo del c l u b
durante una semana por haber violado nuestra regla más
sagrada
y darle nuestro santo y seña al enemigo.
—Porfa, deja que me quede —suplicó Susana.

—No —dijo Marga.

Susana sabía que no servía de nada discutir con Marga
cuando su mirada se volvía tan **feroz** y tiránica
como en aquel momento.

—¡Qué mala idea tienes! —la acusó Susana.

Marga Caralarga abrió un libro y se puso a leer.
Susana Tarambana se levantó y se fue.

«Ya sé lo que voy a hacer para ajustarle las cuentas a Pablo»,
pensó Marga.
«Le pondré una trampa en su guarida,
de modo que cuando entre en ella...».

Marga soltó una chirriante risotada al imaginarse a Pablo Diablo
cubierto de agua helada y fangosa.

Justo antes de comer, Pablo se coló en el jardín de Marga
con una cuerda y un cubo de plástico lleno de agua.
Tendió la cuerda sobre el suelo en paralelo
a la entrada de la tienda, y encima,
atado a uno de los extremos de la cuerda, dejó colgado el cubo.

Justo después de comer,
Marga se coló
en el jardín de Pablo
con una cuerda
y un cubo lleno de agua.
Tendió la cuerda a través
de la entrada de la
guarida
y colocó el cubo en lo alto.
No podía imaginar
mayor placer que ver a
Pablo chorreando cuando
tropezara con la cuerda
y se le viniera encima
el cubo de agua entero.

Roberto, el niño perfecto, apareció en el jardín
con un balón debajo del brazo.
Pablo no quería jugar con él y no tenía nada que hacer.

«¿Por qué no entrar en la guarida?», se dijo Roberto.
Al fin y al cabo, había ayudado a construirla.

Mientras tanto, Susana entraba furtivamente
en el jardín de la casa de al lado.
Se sentía ofendida.

«¿Por qué no podía ella entrar en la tienda?», se dijo.
Al fin y al cabo, era también su club.

Roberto, el niño perfecto, entró en la guarida
y tropezó con algo.

¡CLONK! ¡PLAFFFFFFFFFF!

Susana Tarambana entró en la tienda y tropezó con algo.

¡CLONK! ¡PLAFF!

Pablo Diablo oyó alaridos
y corrió al jardín dando gritos de alegría.

—¡Ja, ja, Marga! ¡Te he cazado!

Y se detuvo en seco.

Marga Cara l a r g a oyó gritos y corrió al jardín dando alaridos de ALEGRÍA.

–¡Ja, ja, Pablo! ¡Te he cazado!

Y se detuvo en seco.

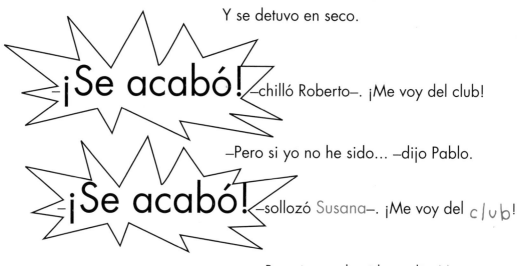

¡Se acabó! —chilló Roberto—. ¡Me voy del club!

—Pero si yo no he sido... —dijo Pablo.

¡Se acabó! —sollozó Susana—. ¡Me voy del club!

—Pero si yo no he sido... —dijo Marga.

—¡Vaya rollo! —protestó Pablo.

—¡Vaya rollo! —protestó Marga.

Y se miraron furiosos el uno al otro.

¡MALVADA ENEMIGA!

Susana Tarambana

HFHZMZOOVEZYIZTZHZKVHGLHZH

Susana lleva brasas apestosas

PABLO DIABLO en Navidad

Roberto, el niño perfecto,
estaba sentado en el sofá hojeando el catálogo
de **El Paraíso de los Juguetes**.
Pablo lo había acaparado toda la mañana
para hacer su lista de regalos de **Navidad**.
Naturalmente, no se trataba de una lista de los regalos
que Pablo quería para los demás.
Era la lista de los regalos que quería para **SÍ** mismo.
Pablo Diablo levantó la mirada de su papel.
Se había quedado un poco atascado después de diez mil €uros,
un loro, un machete, una piscina, un trampolín y una catapulta.

—**¡Dame eso!** —gritó Pablo Diablo,
arrebatándole a Roberto el catálogo de **El Paraíso de los Juguetes**.

—¡Devuélvemelo! —chilló Roberto.

—**¡Me toca a mí!** —gritó Pablo.

—¡Lo has tenido toda la mañana! —chilló Roberto—. **¡Mamá!**

—Deja de fastidiarle, Pablo —le pidió su **madre**,
que llegó corriendo desde la cocina.

Pablo no le hizo caso.

Tenía los ojos pegados al catálogo. **Lo había encontrado**.

sueños

El *juguete* de sus . Ese juguete que tenía que ser suyo.
—Quiero un **Masacrator Bang-Bang** —dijo Pablo.

Era un **juguete** maravilloso que se estrellaba contra todo
y tenía una penetrante sirena que aullaba sin descanso,
más toda una serie de complementos **destructores**.
El artefacto ideal para machacarle su pista de canicas
a Roberto, el niño perfecto.

—Necesito un **Masacrator Bang-Bang** —repitió Pablo
mientras lo apuntaba con letras MAYÚSCULAS en su lista de regalos.

—Ni hablar de eso, Pablo —dijo su **madre**—.
No pienso tener en mi casa semejante juguete ruidoso y **HORRIBLE**.

—Venga, mamá —insistió Pablo—. Porfaaaaaaaa.

Su **padre** entró en casa.

—Quiero un **Masacrator Bang-Bang** para Navidad
—dijo Pablo.

—**De ningún modo** —dijo su **padre**—. **Demasiado caro**.

—¡Sois los padres más espantosos
del mundo entero!
—gritó Pablo—. ¡os odio!
¡Y quiero un **Masacrator Bang-Bang**!

—Así no se piden las cosas, Pablo —dijo Roberto, el niño perfecto—.
Y ya sabes que contra el vicio de pedir está la virtud de no dar.

Pablo se abalanzó sobre Roberto.

Pablo se había transformado en un pulpo dispuesto a estrujar al indefenso pececillo atrapado en sus tentáculos.

—¡Socorro! —balbuceó sofocadamente Roberto.

—¡Pablo, deja ahora mismo de fastidiar a tu hermano, o suspendo la visita a **Papá Noel**! —gritó su **madre**.

Pablo se detuvo en seco.

Un olor a pastas quemadas entró flotando en la habitación.

—¡Ayyyyyyy, mis pastas!
—chilló su **madre**.

—¿Cuánto rato vamos a tener que esperar todavía? —suspiró Pablo—. ¡Estoy harto!

Pablo Diablo, Roberto, el niño perfecto, y su **madre** estaban hacia el final de una l a r g a cola esperando para ver

a **Papá Noel**. Llevaban mucho rato esperando.

—¡Qué emocionante es esto!, ¿verdad, Pablo? —dijo Roberto—. La oportunidad de estar con **Papá Noel**, quiero decir. No me importa lo que haya que esperar.

—Pues a mí sí —contestó airadamente Pablo, y empezó a escurrirse y a colarse entre la gente.

—¡Eh, **tú**, deja de empujar! —gritó David el de Madrid.

—¡Espera a que te llegue el turno!
—gritó Marga Cara l a r g a.

—¡Yo estaba aquí antes! —gritó Vanesa la Espesa.

Pablo se abrió paso a empujones hasta llegar donde estaba Renato el Mentecato.

—¿Qué le vas a pedir a Papá Noel? —preguntó Pablo—. Yo quiero un Masacrator Bang-Bang.

—Yo también —dijo Renato—. Y un Pringa-Plaf.

Las orejas de Pablo se enderezaron.

—¿Y eso qué es?

—Es chulísimo —apuntó Renato—. Pone a todo el mundo perdido de pringue asqueroso.

—¡Halaaa! —exclamó Pablo Diablo, mientras su **madre** lo arrastraba de vuelta a su sitio en la cola.

—¿Qué quieres para Navidad, Hilarión? —preguntó **Papá Noel.**

—¡Caramelos! —respondió Hilarión el Trag**Ó**n.

—¿Qué quieres para Navidad, Tino? —preguntó **Papá Noel.**

—No sé —dijo Tino el Tocino.

—¿Qué quieres para Navidad, Roberto? —preguntó **Papá Noel.**

—¡Un diccionario! —dijo Roberto—. Sellos, semillas, un estuche con aparatos de geometría y algún disco con música de violonchelo, por favor.

—¿Nada de juguetes?

—No, gracias —dijo Roberto—.
Tengo ya m u c h í s i m o s *juguetes*.
Este regalo es para usted, **Papá NOel**
—añadió, ofreciéndole un paquete delicadamente envuelto—.
Lo he hecho yo solo.

—¡Qué jovencito tan *encantador*! —dijo **Papá NOel**.

La madre de Roberto sonrió radiante, llena de orgullo.

—Ahora me toca a mí —dijo Pablo bajando a Roberto
de un empujón de las rodillas de **Papá NOel**.

—¿Y tú qué quieres para Navidad, Pablo? —preguntó **Papá NOel**.
Pablo desplegó su lista.

—Quiero un **Masacrator Bang-Bang** y un **Pringo-Plaf**
—dijo Pablo.

—Bueno. Ya veremos lo que se puede hacer —dijo **Papá NOel**.

¡Bieeen! —exclamó Pablo.

Cuando los mayores decían «Ya veremos»,
casi siempre querían decir «Sí».
Era **Nochebuena**.

Los padres de Pablo y Roberto corrían por la casa de un lado
a otro, limpiándolo todo y poniendo orden a toda prisa.
Roberto, el niño perfecto, estaba viendo un programa
de naturaleza en la tele.

—¡Quiero ver los dibujos animados! —dijo Pablo.
Se apoderó del mando a distancia y cambió de canal.

—¡Estaba viendo el documental de naturaleza! —protestó Roberto.

¡Mamá!

—Ya está bien, Pablo —refunfuñó su **padre**—.
**Y ahora, los dos a ayudar a poner la casa en orden
antes de que lleguen vuestra tía y vuestro primo.**

Roberto, el niño perfecto, se precipitó inmediatamente a ayudar.
Pablo Diablo ni se movió.

—¿Tienen que venir? —dijo Pablo.

—Sí —dijo su **madre**.

—Odio al primo Elemente
—dijo Pablo.

—No, no lo odias
—corrigió su **madre**.

—Pues sí —gruñó Pablo.

Si había un tipo más repugnante que Clemente,
el primo repelente, bajo la capa del cielo, Pablo todavía estaba
esperando a conocerlo. Lo único que tenían de malo las Navidades
era que Clemente viniera todos los años a pasarlas en casa.

¡Tin-Ton! Debían de ser Federica, la tía RICA, y el horrible
primo Clemente. Pablo contempló cómo su tía se tambaleaba
bajo el peso de cajas y cajas de regalos que **Papá NOel**
había dejado en su casa y que fue a depositar
bajo el iluminadísimo Árbol de Navidad.
La mayoría serían para Clemente el repelente, estaba seguro.

–Ojalá no estuviéramos aquí –gimió Clemente el repelente–.
Nuestra casa es m u c h o más agradable.

–Sshhhhhhhhhhhhhhhhhhhh –dijo Federica, la tía RICA,
y salió de la habitación con los padres de Pablo.

Clemente el repelente miró a Pablo con aire de superioridad.

–Seguro que tengo un **MONTÓN** de regalos **más** que tú.

–Seguro que no
–dijo Pablo tratando de aparentar convicción.

—Lo que cuenta no es el regalo, sino la intención
—dijo Roberto, el niño perfecto.

—Yo voy a tener un **Masacrator Bang-Bang**
y un Pringo-Plaf —aseguró Clemente el repelente.

—Yo también —aseguró Pablo.

—¡Qué va! —dijo Clemente—. Tú solo tendrás regaluchos horrorosos
tipo calcetines y cosas de esas.

¡Lo que me voy a reír!

«Cuando sea rey», pensó Pablo,
«mandaré que hagan un foso
de cocodrilos solo para el primo Clemente».

—Soy más RICO que tú —fanfarroneó Clemente—,
y tengo un montón de juguetes más
—miró hacia el Árbol de Navidad—. ¿Y a esa rama la llamáis árbol?
—preguntó burlonamente—. El nuestro es tan ALTO que toca en el techo.

—Es hora de ir a la cama, chicos
—vino a advertir el **padre** de Pablo y de Roberto—.
**Y recordad que mañana nadie debe abrir ningún regalo
antes de que hayamos comido y dado un paseo.**

47

—Buena idea, papá -dijo Roberto, el niño perfecto-.
Siempre es agradable respirar aire fresco el día de Navidad
y dejar los regalos para más tarde.

«Ja, ja», pensó Pablo Diablo, «eso ya lo veremos».

La casa estaba a oscuras.
El único ruido era el áspero gorgoteo de los ronquidos
de Clemente el *repelente* en su saco de dormir.
Pablo Diablo no podía dormir.
¿Le estaría esperando abajo un Masacrator Bang-Bang?

Se volvió de un costado para estar más cómodo.
Era inútil.
¿Cómo iba a poder vivir hasta la mañana de Navidad?
Pablo no lo pudo resistir más. Tenía que averiguar
si le habían regalado un Masacrator Bang-Bang.

Se deslizó fuera de la cama, agarró su linterna,
pasó por encima de Clemente el *repelente*
—resistiendo la tentación de pisotearlo—
y bajó a hurtadillas las escaleras.

La escalera hizo ÑE-EEEC.

Pablo se quedó rígido.

La casa estaba en silencio.
Pablo entró de puntillas en el cuarto de estar.

Allí estaba el Árbol. Y allí estaban también todos los regalos.
¡Montones y montones de ellos!

«Bien», pensó Pablo,
«echaré una mirada rápida a ver
si está mi Masacrator Bang-Bang,
y derechito otra vez a la cama».

Agarró un paquete gigantesco.

Parecía de lo más prometedor. Lo sacudió. Bonk-toc-bonk.

«Esto suena bien», pensó Pablo. Su corazón daba brincos.
«Sé que es un Masacrator Bang-Bang».

Luego miró la etiqueta: Feliz Navidad, Clemente.

«Qué horror», pensó Pablo.

Sacudió otro regalo con forma tentadora:
Feliz Navidad, Clemente.

49

Y otro: **Feliz Navidad, Clemente.**

Y otro. Y otro más.
Por fin, Pablo palpó un paquete pequeño, blando y fofo.

«Calcetines, seguro.
Espero que no sean para mí».

Comprobó la etiqueta: *Feliz Navidad, Pablo*.

«Tiene que estar equivocada», se dijo Pablo.
«Clemente necesita calcetines mucho más que yo.
En realidad, le haría un favor si se los diera».

¡Cambiazo!

El cruce de etiquetas fue cosa de un momento.

«Y ahora veamos», dijo para sí Pablo.

Localizó un paquete con forma de Pringa-Plaf
que llevaba puesto el nombre de Clemente
y luego encontró otro, destinado a él mismo,
con la forma inconfundible de un libro.

¡Cambiazo!

Pensándolo bien, Clemente tenía su casa abarrotada
de una cantidad excesiva de *juguetes*.
Pablo había oído a la tía Federica quejarse de aquel desorden
la noche anterior precisamente.

¡Cambiazo¡ ¡Cambiazo! ¡Cambiazo!

Luego, Pablo Diablo volvió sigilosamente a su cama.
Eran las seis de la mañana.

—¡Feliz Navidad! —gritó Pablo—.
¡Es hora de abrir los regalos!

Antes de que nadie pudiera detenerle,
Pablo se precipitó escaleras abajo.

Clemente el repelente le siguió de un salto.

—¡Esperad! —gritó la **madre** de Pablo.

—**¡Esperad!** —gritó el **padre** de Pablo.

Los chicos entraron como flechas▼ en el cuarto de estar
y se lanzaron sobre los regalos. El cuarto se llenó de alaridos
de emoción y gemidos de **decepción**
a medida que fueron rompiendo el papel de los envoltorios.

–¡Calcetines! –chilló Clemente el repelente –.
¡Vaya un regalo más cutre! ¡No vale ni las gracias!

–No seas tan grosero, Clemente –dijo bOstezando la tía Federica.

–¡Un Pringo-Plaf! –gritó Pablo Diablo–.
¡Qué chulo! ¡justo lo que quería!

—Un estuche de geometría —dijo Roberto, el niño perfecto—.

¡Qué bien!

—¿Material para cultivar flores? —bramó Clemente el *repelente* —.

¡Puaj!

—¡Hazte tus propios cohetes! —exclamó Pablo, radiante—.
¡qué guay!

—¡Mandarinas! —gritó Clemente el *repelente*—.
¡La peor Navidad de mi vida!

—¡un Masacrator Bang-Bang! —dijo emocionado Pablo—.
¡Bieeen! ¡Gracias! ¡justo lo que quería!

—A ver esa etiqueta
—masculló Clemente
recogiendo del suelo
el papel de envolver rasgado.

En la etiqueta ponía:
Feliz Navidad, Pablo.

No había error posible.

—¿Dónde está mi Masacrator Bang-Bang?
—gritó Clemente.

—Tiene que estar en alguna parte —dijo la tía Federica.

—Federica, no deberías haber pedido a **Papá Noel**
uno para Pablo —comentó su madre frunciendo el ceño.

—No lo he hecho —dijo Federica.

La **madre** de Pablo miró al **padre** de Pablo.

—**Ni yo** —dijo el **padre**.

—Ni yo —dijo la **madre**.

—Me lo ha regalado Papá Noel —aseguró Pablo Diablo—. Se lo pedí y lo ha hecho.

Silencio.

—¡Él tiene mis regalos! —gritó Clemente—. ¡Que me los devuelva!

—¡Son míos! —gritó Pablo, agarrado a su botín—. Me los ha dado Papá Noel.

—¡No! ¡Son míos! —gritó Clemente.

La tía Federica inspeccionó las etiquetas.
Luego miró con severidad a los dos vociferantes muchachos.

—A lo mejor me equivoqué al escribir a Papá Noel
—murmuró dirigiéndose a la **madre** de Pablo—.
No te preocupes. Ya lo solucionaremos luego —le dijo a Clemente.

–¡No hay derecho! –aulló Clemente.

–¿Por qué no te pruebas los calcetines nuevos?
–le preguntó Pablo.

Clemente se abalanzó sobre él.
Pero Pablo Diablo estaba preparado.

¡PLAFF!

–¡Uuaaaaaagg!

–chilló Clemente, el primo repelente,
mientras una masa de pringue verdoso le chorreaba
por la cara, la ropa y el pelo.

-¡PABLO! —gritaron su **madre** y su **padre**—.
¿Cómo puedes ser tan horrible?

-¡BANG-BANG CRASH

¡NA-NIII-
NA-NIII!

¡UUUAAAAAAUUUUUUUUUU!

¡UUUAAAAAAUUUUUUUUUU

«Qué magnífica Navidad», pensó Pablo
mientras su **Masacrator Bang-Bang**
manchaba la pista de canicas de Roberto.

—Despídete de la tía Federica, Pablo —dijo su **madre**.

Parecía cansada.

Federica, la tía **RICA**, y Clemente, el primo repelente,
habían decidido marcharse un poco antes de lo previsto.

—Adiós, tía —se despidió Pablo—. Adiós, Clemente.
Estoy deseando verte en la próxima Navidad.

—Por cierto —intervino la **madre** de Pablo—,
el mes que viene vas a ir a pasar un par de días con él.

«Horror», pensó Pablo Diablo.

57

¡MALVADO ENEMIGO!

Clemente el *repelente*

JFRVILFMZXZGZKFOG

ZBFMNZHZXIZGLIYZMTYZMT

Quiero una catapulta
y un Masacrator Bang-Bang

Querido Pablo:

~~(X)~~ Te doy las gracias por los calcetines y las mandarinas.

Clemente

P.D. Mi madre me ha obligado a escribir esto.

Querido Clemente:

¡GUAU! ¡MUCHÍSIMAS gracias por el Masacrator Bang-bang y el Pringo-Plaf! ¡¡Me acuerdo de ti cada vez que juego con ellos!! ¡qué regalos tan INCREÍBLES! Una lástima que a ti te trajeran calcetines.

Pablo

59

Clemente es un repelente horrible y asqueroso.

¡Marga, caracartón!

¡Cómo te has atrevido a poner
una trampa en mi guarida!

Eres niña muerta...

¡La Mano Negra acabará contigo!

La Mano Negra

61

PABLO DIABLO Y los FANTASMAS

–¡Ni hablar! –chilló Pablo Diablo.

No pensaba pasarse el fin de semana en casa
de su horroroso primo Clemente el repelente. No, no y no.
Se sentó en el asiento trasero del coche con los brazos
cruzados.

–Vaya sí lo harás –dijo su madre.

–Clemente está deseando volver a verte
–aseguró su **padre**.

Eso era exacto solo en cierto modo. Desde que, en las últimas Navidac
Pablo había rociado a Clemente de *pringue verdoso*
y encima se había quedado con la mayor parte de sus regalos,
Clemente había jurado vengarse.
Dadas las circunstancias, Pablo pensaba
que lo mejor era no cruzarse en el camino de Clemente.

¡Y ahora resultaba que su madre le había organizado
un fin de semana en su casa
mientras ella y su padre se iban de viaje!
Roberto, el niño perfecto, iba a quedarse en casa
de Rosendo el Estupendo, y a él, en cambio, le tocaría
aguantar al plasta de Clemente.

–Es una magnífica oportunidad para que los dos hagáis buenas migas
–dijo la **madre** de Pablo–. Clemente es un niño muy agradable.

–Me encuentro mal –se quejó Pablo, tosiendo.

–Deja de fingir –pidió su **madre**–. Esta mañana
estabas bien sano para jugar al fútbol.

—Estoy demasiado cansado —dijo Pablo, bOstezando.

—Estoy seguro de que podrás descansar todo lo que quieras en casa de tu tía Federica —intervino su **padre** con firmeza.

 —aulló Pablo.

Su **madre** y su **padre** le agarraron por los brazos, lo remolcaron hasta la puerta de la casa de Federica, la tía RICA, y tocaron el timbre.

La **enorme** puerta se a b r i ó al instante.

—Bienvenido, Pablo —dijo Federica, la tía RICA, mientras le daba un sonoro besazo.

¡Cuánto me alegro de verte, Pablo —dijo Clemente, el primo repelente, con voz zalamera—. Llevas un jersey de segunda mano precioso.

—CALLA, CLEMENTE —le ordenó la tía Federica—. Pablo va de lo más **elegante**.

Pablo dirigió una mirada asesina a Clemente. Por suerte, se había acordado de traer su *Pringo-Plaf*. Tenía la sensación de que podría necesitarlo.

—Adiós, Pablo —dijo su **madre**—. Pórtate bien. Muchísimas gracias por quedaros con él, Federica querida.

—De nada. Nosotros estamos encantados —mintió la tía Federica.

Y la enorme puerta se cerró.

Pablo estaba solo
en la casa de su archienemigo.

Miró con severidad a Clemente.
«Qué niño tan espantoso».

Clemente miró con severidad a Pablo.
«Que niño tan espantoso»

—¿Por qué no vais los dos arriba y jugáis en el cuarto de Clemente
hasta que esté lista la cena? —propuso la tía Federica.

—Primero le enseñaré su cuarto a Pablo —dijo Clemente.

—Buena idea —aprobó la tía Federica.

Pablo siguió de mala gana a su primo por la amplia escalera.

—Apuesto a que te da miedo la oscuridad —dijo Clemente.

—Pues claro que no —aseguró Pablo.

—Eso está muy bien —dijo Clemente—. Este es mi cuarto
—añadió, abriendo la puerta de un **INMENSO** dormitorio.

Pablo Diablo miró con envidia las estanterías
llenas a reventar de toneladas de juguetes.

—Naturalmente, todos mis *juguetes*. están nuevos. Que no se te ocurra tocar ni uno —le advirtió Clemente con un susurro sibilante—. Son todos míos y solo yo puedo jugar con ellos.

Pablo fr**un**ció el ceño.
Cuando fuera rey,
usaría la cabeza de Clemente
para tirar al blanco.
Continuaron hasta el piso superior.

«Qué barbaridad, lo grande
que es esta vieja casa»
pensó Pablo,.

Clemente a b r i ó la puerta de un amplio dormitorio abuhardillado, recién empapelado con un papel de flores rosas y azules.
Tenía una cama con dosel, un enorme armario ropero de madera encerada y dos **grandes** ventanas.

—Duermes en el cuarto embrujado —anunció Clemente con aire de indiferencia.

—¡Qué bien! —contestó Pablo—.
Me encantan los fantasmas —para asustarle a él, hacía falta algo más que un estúpido fantasma.

—No me creas si no quieres —dijo Clemente—, pero luego no te quejes cuando el fantasma empiece a gemir.

—No eres más que un cochino embustero —le espetó Pablo. Estaba seguro de que Clemente mentía.
Absolutamente seguro. Un millón por ciento seguro.

«Está tratando de vengarse por lo de Navidad», pensó.

Clemente se encogió de hombros.

—Allá tú. ¿Ves esa mancha en la alfombra?

Pablo observó una sombra parduzca.

—Ahí es donde el fantasma se esfumó —susurró Clemente—.
Claro que, si te asusta demasiado dormir aquí...

Pablo hubiera caminado sobre brasas ardientes,
antes que admitir la posibilidad de pasar miedo.

BOstezó como si no hubiera oído nada más aburrido en su vida.

—Estoy deseando encontrarme con el fantasma.

—Muy bien —dijo Clemente.

—¡Chicos, la cena! —llamó la tía Fede

Pablo estaba acostado. Había conseguido sobrevivir
a la horrible cena y a las fanfarronadas de Clemente el repelente
sobre lo caro de su ropa, sus juguetes y sus zapatillas deportivas.
Al fin estaba allí, solo en la buhardilla, en el último piso de la casa.
Se había metido en la cama de un salto, evitando cuidadosamente
pisar la mancha parduzca del suelo.
Estaba seguro de que solo era Burbucola derramada o algo así,
pero por si acaso...

Pablo miró a su alrededor. Lo único que no le gustaba
era el gran armario ropero que había a los pies de la cama
y se levantaba frente a él como una sombra amenazadora.

«En aquel armario, uno podía esconder un cadáver»,
pensó Pablo, aunque enseguida lamentó haberlo pensado.

—¡UUUUUUUUUUUUH!

Pablo se puso rígido.

¿Había oído un lamento,
o era imaginación suya?

Silencio.

«Nada», pensó Pablo arrebujándose en las sábanas.
«Es solo el viento».

—¡UUUUUUUUUUUUH!

Esta vez, el lamento sonó ligeramente más alto.
El pelo de la nuca de Pablo se puso de punta.
Se agarró a las sábanas con **fuerza**.

—¡AAAAAAAAAAAAAH!

Pablo se sentó en la cama.

AAAAAAAAAAAAAAHHHH!

Aquel lamento jadeante y fantasmal no venía de fuera
del cuarto. Parecía brotar del interior del gigantesco armario ropero.

Pablo encendió de inmediato la luz de la mesilla.

«¿Y ahora qué hago?», se preguntó Pablo.

Deseaba salir corriendo a GRITOS en busca de su tía.

Pero la verdad es que Pablo estaba demasiado asustado
para moverse.

Dentro del armario había algún ser espantoso
emitiendo lamentos. Y esperando el momento de lanzarse sobre él.

De pronto, Pablo recordó que él era nada menos
que el *capitán de una banda de piratas.*
Sin miedo a nada (excepto a las inyecciones).

«Me voy a levantar y voy a ver lo que hay dentro
de ese armario. ¿Soy un hombre o un ratón?»
se dijo.

«¡Un ratón!», admitió.

No se movió.

¡UUUUUUUAAAAAAAAAAAAAH!
—gimió la cosa.

Los sonidos de ultratumba eran cada vez más fuertes.

«¿Me quedo esperando a que eso me atrape, o hago yo algo antes?», se preguntó Pablo.

Sin ruido, metió la mano debajo de la cama para hacerse con el *Pringo-Plaf.*

Luego, muy despacio, sacó los pies de la cama.

Tip-tap. Tip-tap. Tip-tap.

De puntillas y conteniendo la respiración, Pablo se situó junto al armario ropero.

—¡JAJAJAJAJAJAJAJA!

Pablo dio un salto. Luego, abrió la puerta de par en par y disparó

¡PLAFF!

—¡JAJAJAJAJAJAJA... aaaaajiiiiii...!

El armario estaba vacío.

Solo había un chisme pequeño, entre verdoso y negruzco, en la balda de arriba.

Parecía...

Pablo se puso de puntillas y lo alcanzó.

Era un radiocasete. Cubierto de *pringue verdoso*.

Dentro había una cinta
y tenía un título:

**SONIDOS HORRIPILANTES
DEL ESPÍRITU MUTANTE.**

«¡Clemente!», dijo para sí Pablo Diablo con una sonrisa **siniestra**.
¡VENGANZA!

—¿Has dormido bien, querido? —preguntó la tía Federica
durante el desayuno.

—Como un tronco —dijo Pablo.

—¿Ningún ruido extraño? —preguntó Clemente.

—No —sonrió Pablo con cara de bueno—. ¿Por qué? ¿Has oído tú algo

Clemente parecía decepcionado. La cara de Pablo Diablo
no expresaba la menor emoción. Estaba deseando que llegara la **noch**

Pablo Diablo tuvo un día muy ocupado.

Fue a patinar sobre hielo.

Fue al cine

Jugó al fútbol.

Después de cenar, se fue derecho a la cama.

—Ha sido un día estupendo —dijo—, pero me encuentro cansado. Buenas noches, tía Federica. Buenas noches, Clemente.

—Buenas noches, Pablo —dijo la tía Federica.

Clemente no contestó.

Pero Pablo no fue a su dormitorio,
sino que se coló en el de Clemente.
Reptó bajo la cama de Clemente y se quedó allí, e s p e r a n d o.

Clemente el *repelente* no tardó en entrar en el cuarto.
Pablo resistió la tentación de e s t i r a r el brazo y agarrarle
una de sus flacuchas piernas. Tenía pensado algo
mucho más terrorífico.

Pudo escuchar cómo Clemente se ponía su pijama azul LARGO
y se metía en la cama de un salto. Pablo esperó
hasta que el cuarto estuvo a oscuras.

Tumbado encima de él, Clemente canturreaba distraídamente.

—Tralará, lará lará lará —tarareaba.

Pablo extendió el brazo muy despacio y, con toda suavidad,
dio una sacudida al colchón.

Silencio.

— *Tralará, lará lará lará* —tarareó Clemente, ahora algo más bajo.
Pablo e x t e n d i ó el brazo y volvió a darle un toque al colchón.

Clemente se sentó en la cama.

Luego volvió a tumbarse.

Pablo,
con mucho cuidado,
volvió a sacudir
el colchón.

—Debe de ser mi imaginación
—murmuró Clemente.

Pablo dejó que transcurrieran unos momentos.
Luego tiró **con fuerza** del edredón.

—¡Mami! —gimió Clemente.

¡Zas!   Pablo dio un empujón final al colchón.

—¡AAAAAAAAAYYYYYYYY! —chilló Clemente.
Saltó de la cama y salió disparado   de la habitación—.

¡MAMI! ¡MONSTRUOS! ¡SOCORR

Pablo se precipitó fuera del cuarto y corrió en silencio hasta su buhardilla. Se puso el pijama lo más deprisa que pudo y corrió ruidosamente escaleras abajo hasta el dormitorio de Clemente.

La tía Federica se había puesto a gatas y miraba debajo de la cama.

Clemente *temblaba* y *tiritaba* en un rincón.

—AQUÍ NO HAY NADA, CLEMENTE
—dictaminó con firmeza la tía.

—¿Ocurre algo malo? —preguntó Pablo.

—No es nada —murmuró Clemente.

—No te dará miedo la oscuridad, ¿verdad?
—insinuó Pablo.

—A LA CAMA OTRA VEZ, CHICOS —determinó la tía Federica,
y salió de la habitación.

–¡Aaaayyyy, mami, monstruos, socorro!
–gesticuló Pablo sacándole la lengua a Clemente.

–¡MAMÁ! –gimoteó Clemente–. ¡Pablo me está haciendo burla!

–¡AHORA MISMO A LA CAMA LOS DOS!
–chilló la tía Federica.

–Cuidado con los monstruos –advirtió Pablo.

Clemente no se movió de su rincón.

–¿Quieres que cambiemos las habitaciones por esta noche? –propuso Pablo.

Clemente no esperó a que se lo preguntaran dos veces.

–Sí, sí –dijo.

–Pues ve arriba –dijo Pablo–. Y felices sueños.

Clemente salió de su dormitorio lo más velozmente que pudo.

«Je je», rió Pablo para sí mientras bajaba de las estanterías
los juguetes de Clemente, el primo repelente.
¿Con cuál jugaría primero?

¡SE LE OLVIDABA!
Había dejado unos cuantos sonidos fantasmales
de su propia cosecha debajo de la cama de la buhardilla.

POR SI ACASO...

¡CUIDADO! ¡Adultos malvados!

Mariví Bisturí

Su más terrible crimen:
Ponerme una inyección.

Valdemar Calamar

Su más terrible crimen:
Obligarme a entrar en la piscina.

Tutú Marabú

Su más terrible crimen:
Hacerme actuar de gota de agua.

Don Severo Retortero

Su más terrible crimen:
Pensar que iba a poder conmigo.

Agripina Guillotina

Su más terrible crimen:
Ser mi profesora.

Maripi Repipi

Su más terrible crimen:
Hacerme disfrazar de paje.

Mariano Caragrano

Su más terrible crimen:
Casarse con Maripi Repipi.

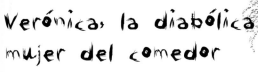

Verónica, la diabólica mujer del comedor

Su más terrible crimen:
Comerse mis patatas fritas.

Marga Caralarga
se instala

La madre de Pablo estaba hablando por teléfono:

—Claro, estamos encantados de que Marga se quede
con nosotros —decía—. No hay ningún problema.

Pablo dejó de romperles la cola a los caballitos
de plástico de Roberto.

—aulló.

—Shsss, Pablo —dijo su **madre**—. No, no —añadió—,
Pablo también está encantado. Hasta el viernes. Adiós.

—¿Qué es lo que está pasando? —inquirió Pablo.

—Marga va a quedarse con nosotros
mientras sus padres se marchan de vacaciones
—anunció su **madre**.

Pablo se quedó mudo de horror.

—¿Que va... a vivir... aquí?

—SÍ —dijo su **madre**.

—¿Durante cuánto tiempo? —preguntó Pablo.

—Dos semanas —dijo su **madre** sonriendo.

Pablo Diablo era incapaz de soportar a Marga Cara l a r g a
más de dos minutos seguidos.

—dijo—. ¡Yo me largo!
No dejaré que entre. Le arrancaré el pelo. Le....

—No seas tan insoportable, Pablo —dijo su **madre**—.
Marga es una *niña encantadora*, y estoy segura
de que lo pasaremos bien.

—De eso nada —dijo Pablo—.
Con esa cascarrabias cara de vinagre, ni hablar.

—Yo lo pasaré bien —dijo Roberto, el niño perfecto—.
Me encanta tener invitados.

—Pues en mi cuarto no va a dormir
—advirtió Pablo—. Que duerma en el sótano.

—No —atajó su **madre**—. Tú te trasladarás al cuarto
de Roberto y le dejarás tu cama a Marga.

Pablo Diablo ABRIÓ la boca para gritar, pero solo fue capaz
de emitir un sonido ahogado. Estaba tan horrorizado
que no podía casi respirar.

—¿Dejarle... mi... cama? —preguntó al fin, atragantándose—.
¿A... MARGA?

Marga descubriría sus TESOROS, dormiría en su cama
y jugaría con sus juguetes, mientras él
tendría que compartir una habitación con Roberto...

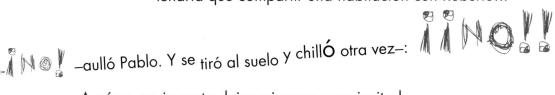

¡NO! —aulló Pablo. Y se tiró al suelo y chilló otra vez—: ¡¡NO!!

—A mí no me importa dejar mi cama a un invitado
—dijo Roberto, el niño perfecto—.
Es lo **CORTÉS**. Los invitados son lo primero.

Pablo dejó de aullar un momento para darle una patada a Roberto.

–¡Ayyyyy! –chilló Roberto. Y rompió a llorar–: Mamá!

–¡Pablo! –chilló su **madre**–. ¡Eres un niño espantoso! Pídele perdón a Roberto.

–¡No vendrá! –gritó Pablo–. ¡Y ya está!

–¡Vete a tu cuarto! –gritó su **madre.**

Marga Caralarga
llegó a casa de Pablo con su madre,
su padre, cuatro maletas, siete cajas
de juguetes, dos almohadas
y una corneta.

–Nuestra Margarita no dará ningún trabajo
–aseguró su madre–. Es siempre muy educada,
come de todo y nunca se queja. ¿Verdad, tesoro?

–Sí –dijo Marga.

–Nuestra Margarita no es nada quisquillosa –dijo su padre–.
Es más buena que el pan. ¿Verdad, tesoro?

–Sí –dijo Marga.

–Que paséis unas buenas vacaciones –dijo la **madre** de Pablo.

—Eso esperamos —dijeron la mamá y el papá de Marga.

Y la puerta se cerró tras ellos. Marga Caralarga
se dirigió con decisión al cuarto de estar
y pasó un dedo por la repisa de la chimenea.

—No parece muy limpia —comentó—.
En mi casa nunca hay tanto polvo.

—**Ah** —dijo el **padre** de Pablo.

—Un poco de polvo no hace daño a nadie
—dijo la **madre** de Pablo.

—Es que soy alérgica —dijo Marga—.
Una pizca de polvo y empiezo a... est... est...

¡ACHíÍÍÍS!
—estornudó.

—Haremos una limpieza ahora mismo —aseguró la **madre** de Pablo.

El **padre** pasó la fregona.
La **madre** barrió.

Roberto quitó el polvo.
Pablo pasó la aspiradora.
Marga dirigió.

—Pablo, no has quitado esa BOLA GRANDE de pelusa que hay
—dijo Marga, señalando con el dedo debajo del sofá.

Pablo Diablo pasó la aspiradora

lo más lejos posible de la bOla de pelusa.

–¡Ahí no, ALLÍ! –insistió Marga.

Pablo apuntó a Marga
con la aspiradora. Se había transformado
en un dragón lanzallamas
dispuesto a chamuscar a su presa
como una patata frita.

–¡**Socorro!** –chilló Marga.

–**¡Pablo!** –dijo el **padre** de Pablo.

–No seas molesto –dijo la **madre** de Pablo.

–Creo que habría que castigar a Pablo –dijo Marga–.
Creo que habría que ~~encerrarle~~ en su cuarto con llave
durante tres semanas.

–No tengo un cuarto para que me encierren
porque TÚ duermes en él
　　–replicó Pablo mirando a Marga con ferocidad.

Marga le devolvió la mirada.

–YO soy la invitada, Pablo, así que será mejor que seas cortés
–le advirtió amenazadora.

–Naturalmente que va a ser **cortés**
–aseguró la **madre** de Pablo–. No te preocupes, Marga.
Si tienes cualquier problema, me lo dices.

–Gracias –dijo Marga Caral a r g a–. Lo haré.
Tengo hambre –añadió–. ¿Por qué no está lista la cena?

—**Lo estará pronto** —anunció el **padre** de Pablo.

—Es que yo siempre ceno a las seis en punto —dijo Marga—. Quiero cenar YA.

—**De acuerdo** —accedió el **padre** de Pablo.

Pablo Diablo y Marga Cara l a r g a corrieron a sentarse en la silla que miraba al jardín. Marga llegó antes y Pablo la desalojó de un empujón. Luego, Marga le empujó a él.

Plaf. Pablo aterrizó en el suelo.

—¡Ay! —se quejó Pablo.

—**Deja la silla a la invitada** —dijo su **padre**.

—Es que esa es mi silla. Me siento en ella SIEMPRE. —protestó Pablo—.

—Toma mi silla, Marga —ofreció Roberto, el niño perfecto—. No me importa.

—Me quiero sentar en ESTA —insistió Marga Caralarga—. Y como soy la invitada, decido yo.

Pablo Diablo se dirigió remoloneando al otro lado de la mesa y se sentó junto a Roberto.

—¡AYYY! —chilló Marga—. ¡Pablo me ha dado una patada!

—Yo no he sido —dijo Pablo, indignado.

—Pablo, estate quieto —le regañó su **madre**—.
Esa no es forma de tratar a una invitada.

Pablo le sacó la lengua a Marga. Marga le sacó
aún más lengua a Pablo y luego le dio un pisotón.

—¡AYYYY! —chilló Pablo—. ¡Marga me ha pisao

Marga Caral a r g a puso cara de aso

—Ay, cuánto lo siento, Pablo.
Ha sido sin querer. Soy una torpe.
No me he dado cuenta, de verdad.

El **padre** de Pablo trajo la cena a la

—¿Qué es eso? —preguntó Marga.

—**Judías estofadas, mazorcas de** maíz **y pollo**
—dijo el **padre** de Pablo.

—No me gustan las judías estofadas —protestó Marga—,
y el maíz me gusta sin mazorca.

La **madre** de Pablo desgranó la mazorca de Marga Caral a r g a.

—¡Eh, el maíz, en plato aparte!
—chilló Marga—. No me gusta que la verdura se mezcle con la carne.

El padre de Pablo sacó el plato de los piratas, ☠

el plato de los patos y el plato del «FELIZ CUMPLEAÑOS, ROBERTO».

—Quiero el de los piratas ☠ —dijo Marga apoderándose de él.

—Yo quiero el de los piratas ☠ —dijo Pablo arrebatándoselo a Marga.

—A mí no me importa el platO que me toque
—dijo Roberto, el niño perfecto—. Un plato es solo un platO.

—¡NO LO ES! —gritó Pablo.

—¡YO soy la invitada! —gritó Marga—. Elijo yo.

—Dale el plato de los piratas ☠, Pablo —le pidió su **padre.**

—NO HAY DERECHO —dijo Pablo mirando con

furia su plato decorado con patitos.

—Marga es la invitada —dijo su **madre.**

—¿Y qué? —dijo Pablo—.

¿No era un antiguo griego el que, cuando sus invitados
eran demasiado bajos, los estiraba sobre una cama de hierro,
y si eran demasiado altos, les cortaba la cabeza y los pies?
Seguro que aquel tipo hubiera sabido cómo entendérselas
con invitados tan insoportables como Marga Caralarga.

–**¡Puaj!** –dijo Marga, escupiendo todo el pollo que tenía en la boca–.

¡Tiene sal!

–**Solo un poco** –informó el **padre** de Pablo.

—Nunca tomo sal –dijo Marga Caralarga–. No me sienta bien. Y en mi casa siempre me dan guisantes.

—Mañana los compraremos –aseguró la **madre** de Pablo.

Roberto dormía en la litera superior.
Pablo Diablo escuchaba sentado junto a la puerta.
Había llenado la cama de Marga de migas de pan
y estaba impaciente por oírla GRITAR

Pero del cuarto de Pablo, ocupado por Marga la **invasora**,
no salía sonido alguno. Pablo no podía entenderlo.
Se encaramó tristemente a la litera inferior
(¡horror!) y soltó un aullido.
Su cama estaba llena de mermelada, de migas y de unas cosas
blancas húmedas y asquerosas.

–**¡A dormir, Pablo!** –le gritó su **padre**.

¡Demonio de Marga! Le pondría una b💣mba en su habitación, le haría tiras la ropa de sus muñecas, le pintaría la cara de **morado**...
En el rostro de Pablo se dibujó una sonrisa amenazadora: iba a ajustarle las cuentas a Marga Caral a r g a.

Se iba a enterar.
Su **madre** y su **padre** estaban en el cuarto de estar viendo la tele.

Marga Caral a r g a apareció en la escalera.

—NO PUEDO DORMIR CON ESTE RUIDO —protestó.

La **madre** y el **padre** de Pablo se miraron...

—El volumen está muy bajo, querida —dijo la **madre**

—Es que no puedo dormir mientras haya algo de ruido en la casa —aseguró Marga—. Tengo un oído muy sensible.

La **madre** de Pablo apagó la tele y se puso a hacer punto.

Clic, **clic,** clic.

Marga volvió a aparecer.

—No puedo dormir con ese repiqueteo —dijo.

—De acuerdo —dijo la **madre** de Pablo, y se le escapó un <small>pequeño suspiro</small>

—Y en mi cuarto hace frío —dijo Marga Caral a r g a.

La madre de Pablo puso la calefacción.

Marga apareció de nuevo

—Ahora hace demasiado calor —aseguró.

El **padre** de Pablo quitó la calefacción.

—Mi cuarto huele raro —dijo Marga.

—Mi cama es demasiado dura —dijo Marga.

—Mi cuarto está mal ventilado —dijo Marga.

—En mi cuarto entra demasiada luz —dijo Marga.

—**BUENAS NOCHES, MARGA** —dijo la **madre** de Pablo.

—**¿Cuántos días más va a quedarse?** —preguntó el **padre** de Pabl

—Sólo trece —dijo la **madre**.

El padre se cubrió la cara con las manos.

—**No sé si podré sobrevivir tanto tiempo.**

TU-TUTUUUU. La **madre** de Pablo saltó de la cama.

TU-TUTUUUU. El **padre** de Pablo saltó de la cama.

TUTUUUU. TU-TUTUUUU. TU-TUTUUUU. TUUU-TUU.

Pablo y Roberto saltaron de la cama. TU-TUTUUUU. TUUU-TUU.

TUUUU. TU-TUTUUUU. TU-TUTUUUU.

Marga Cara l a r g a estaba desfilando por el vestíbulo tocando su corneta.

–Marga, ¿TE IMPORTARÍA TOCAR LA CORNETA UN POCO MÁS TARDE?
–pidió el **padre** de Pablo tapándose los oídos—.
Son las seis en punto de la mañana.

–Esa es mi hora de despertar –dijo Marga.

–¿No podrías tocar un poco más bajito?
–sugirió la **madre** de Pablo.

–Es que tengo que practicar –dijo Marga Cara l a r g a.

La corneta volvió a atronar toda la casa.

TU-TUTUUUU. TU-TUTUUUU. TU-TUTUUUU.

Pablo Diablo conectó su radiocasete portátil.
BUUMM. BUUMM. BUUMM.

Marga sopló con más fuerza su corneta.

¡TUUUU! ¡TUUUU! ¡TUUUU!

Pablo subió el volumen
de su radiocasete todo lo que pudo.

BUUMM. BUUMM. BUUMM.

–¡Pablo! –chilló su **madre**.

–**¡Baja eso!** –bramó su **padre**.

–¡Silencio! –gritó Marga–.
No puedo practicar con tanto ruido
–dejó su corneta–.
Y tengo hambre. ¿Dónde está mi desayuno?

–Desayunamos a las ocho –informó la **madre** de Pablo.

–Es que yo quiero desayunar ahora –insistió Marga.

–NO –dijo la **madre** de Pablo con firmeza–.
Desayunaremos a las ocho.
Marga abrió la boca y gritÓ.
Nadie era capaz de gritar tanto rato
y tan fuerte como Marga Caral a r g a.
La casa se llenó del eco de sus penetrantes chillidos.

–De acuerdo –dijo la **madre** de Pablo,
que sabía cuándo tenía una batalla perdida–.
Desayunaremos ahora mismo.

Esa noche, cuando todos dormían, Pablo Diablo se deslizó hasta el cuarto de estar y agarró el teléfono.

—Quiero enviar un telegrama —susurró.

POM, POM, POM, POM, POM.

¡Tin-tan! ¡Tin-tan! ¡Tin-tan!

Pablo se sentó en la cama.

Alguien estaba aporreando la puerta de la calle y llamando al timbre.

—¿Quién puede ser a estas horas de la noche? —bostezó su **madre**.

Su **padre** miró por la ventana y bajó a abrir la puerta.

—¿DÓNDE ESTÁ MI NIÑA? —gritó la madre de Marga.
—¿DÓNDE ESTÁ MI NIÑA? —gritó el padre de Marga.

—Arriba —informó la **madre** de Pablo—. ¿Dónde va a estar?

—¿Qué le ha ocurrido? —chilló la madre de Marga.

—¡HEMOS VENIDO LO MÁS RÁPIDO QUE HEMOS PODIDO! —dijo el padre de Marga.

La **madre** y el **padre** de Pablo se miraron.
¿Qué estaba pasando?

—Está perfectamente —los tranquilizó la **madre** de Pablo.

—El telegrama decía que la situación era **seria** y que volviéramos inmediatamente —dijo la madre de Marga.

—Hemos suspendido nuestras vacaciones —dijo el padre de Marga.

—¿Qué telegrama? —preguntó la **madre** de Pablo.

—¿Qué es lo que pasa? No puedo dormir con tanto ruido —dijo Marga Caral a r g a.

Marga, su madre y su padre se fueron a su casa.

—¡Qué lío tan tremendo! —dijo la **madre** de Pablo.

—Una lástima que hayan tenido que suspender las vacaciones —dijo el **padre** de Pablo.

—Sin embargo... —dijo la **madre**.

—Hmmm —dijo el **padre**.

—¿No crees que quizá Pablo...? —sugirió la **madre**.

—NO. Ni siquiera Pablo sería capaz de algo tan terrible —dijo el **padre**.

La **madre** frunció el ceño.

—¡Pablo! —llamó la **madre**.

Pablo siguió pegando los sellos de Roberto unos con otros.

—¿Qué pasa?

—¿Sabes tú algo de un telegrama?

—¿YO? —dijo Pablo.

—Sí, tú —dijo su **madre**.

—No —respondió Pablo—. Es un misterio.

—Eso es mentira, Pablo
—intervino Roberto, el niño perfecto.

—No lo es —repuso Pablo.

—SÍ LO ES —insistió Roberto—. Te he oído hablar por teléfono.

Pablo se abalanzó sobre Roberto.
Había decidido transformarse en un toro enloquecido
que embestía al torero.

—¡Aaayyyyyy! —chilló Roberto.

Pablo se detuvo.

Esta vez sí que se la había cargado.
Seguro que se quedaría un año sin paga.

Y diez años sin caramelos. Y toda la vida sin tele.
Pablo metió la cabeza entre los hombros
y se quedó quieto, esperando su castigo
Su **padre** se r e p a n t i g ó en un sillón.

—**No has debido hacer una cosa así** —dijo.

Su **madre** puso la tele.

—Vete a tu cuarto —dijo.

Pablo subió dando saltos. «Tu cuarto».
Nunca hubo palabras que le sonaran tan bien.

Queridos Pablo, Roberto y padres:

Creo que deberíais saber algunas cosas
que no funcionan en vuestra casa para que la próxima vez
podáis hacerlo mejor.

1. Todo el mundo debería irse a la cama a la vez que yo
   —a las 8:30— y no hacer ningún ruido.

2. A los invitados siempre se les debe dar
   el plato de los piratas.

3. Los invitados deben decidir
   en qué sitio de la mesa quieren sentarse.

4. Soy alérgica al polvo. Limpiad con más cuidado la casa,
   o no volveré más.

5. Mi desayuno debe servirse cuando me levanto
   a las 6:30; ni un minuto más tarde.

6. Si rompes la yema de mi huevo,
   debes volver a prepararlo.

7. Cocinasteis montones de cosas que no me gustan.
   Debéis preguntarme primero. Nada de judías estofadas.
   Nada de mazorcas de maíz. Nada de sal.

8. Pablo debe quedarse encerrado en su cuarto
   a pan y agua mientras yo esté allí.

9. Si se me ocurre algo más, os lo diré.

                                            Marga

P.D. Gracias por dejarme quedarme con vosotros.

SE BUSCA

VIVA O MUERTA

LA NIÑA MÁS *ESPANTOSA* DEL MUNDO.

SE LA ACUSA DE ATACAR LA GUARIDA
DE LA <u>MANO NEGRA</u> DE PABLO;
DE PONER MIGAS DE PAN Y BABOSAS
EN LA CAMA DE PABLO; DE MOLESTARLE,
Y DE OTROS CRÍMENES

PABLO DIABLO y el asalto

–¡Susana, **eres una guarra**!

–¡No señora! ¡guarra lo serás tú!

–¡Lo serás **TÚ**! –graznó Marga Caralarga.

–¡Lo serás **TÚ**! –graznó Susana Tarambana.

–¡Grrññ**ñ**!
    –¡Grrññ**ñ**!

No todo iba sobre ruedas en el *club secreto* de Marga Caralarg
Dentro de la tienda del club secreto, Susana Tarambana
y Marga Caralarga se fulminaron una a otra con la mirada.
Marga agitó la lata de galletas vacía ante el rostro furioso de Susana

–Alguien se ha comido todas las gallet**a**s
–declaró Marga Caralarga–, y no he sido yo.
–Bueno, pues yo tampoco he sido –se defendió Susana.

–¡Mentirosa!

–¡Mentirosa, tú!

Marga le sacó la lengua a Susana. Susana le sacó la lengua
a Marga. Marga le tiró del pelo a Susana.
–¡Auuayyy! ¡Eres una cutre asquerosa!
–chilló Susana–. ¡TE ODIO!

Susana le dio un tirón de pelo a Marga.

–¡Auuauuu! –graznó Marga Caralarga–. ¿Cómo te atreves?

Se miraron la una a la otra, ceñudas.

–Espera un momento –dijo Marga–. ¿No estarás pensando...?

A no muchos millones de kilómetros de allí, sentado en su trono dentro de la guarida de la Man Negra,
oculta entre el espinoso ramaje,
Pablo Diablo se quitó de un manotazo
unas migas de galleta de la boca y eructó.
Hmmmmmmmmmm, qué gozada, nada podía saber mejor que las galletas de un enemigo mortal.

Las ramas se abrierOn.

—¡Santo y seña! —susurró Pablo.

—Sapos malolientes.

—Pasa —dijo Pablo.

El centinela entró y le dio el apretón de manos secreto.

—Pablo, ¿por qué... —empezó a decir Roberto, el niño perfecto.

—¡Llámame por mi título, Gusano!

—Perdona, Pablo... quiero decir Excelente y Eminente Majestad
de la Man Negra.

—Eso está mejor —dijo Pablo, y apuntó hacia el suelo
con un ligero movimiento de la mano—. Siéntate, Gusano.

—¿Por qué yo soy Gusano y tú eres Excelente
y Eminente Majestad?

—Porque yo soy el jefe —dijo Pablo.

—Quiero un título mejor —dijo Roberto.

—Muy bien —dijo su Excelente y Eminente Majestad—.
Puedes ser Señor Gusano.

103

Roberto lo pensó.

—¿Qué te parece Excelente Señor GUSANO?

—Vale —concedió Pablo. De pronto, se quedó paralizado.

—¡Gusano! ¡Pasos!

Roberto, el niño perfecto, echó una mirada por entre las ramas.

—¡Enemigo a la vista! —avisó.

El firme ruido de pasos se detuvo frente a la entrada.

—¡Santo y seña! —dijo Pablo Diablo.

—Aliento a caca de perro —dijo Marga, irrumpiendo en la guarida.

Susana Tarambana entró tras ella.

—Ese no es el santo y seña —dijo Pablo.

—No podéis entrar —graznó el centinela, un poco tarde.

—Habéis estado robando las galletas del club secreto —les acusó Marga Caralarga.

—Eso es, Pablo —apoyó Susana.

Pablo Diablo se e s t i r ó y bostezÓ.

—Demostradlo.

Marga Caralarga apuntó con el dedo a las migas de galleta que cubrían el suelo de tierra.

—Entonces, ¿de dónde han salido todas esas mig

—De galletas —dijo Pablo.

–¡De modo que lo admites! –chilló Marga.

–Galletas de la Man🖐 Negra –dijo Pablo, apuntando a la lata de galletas con la calavera y las tibias cruzadas de la Man🖐 Negra.

–¡Mentira podrida! ¡Te saldrán un millón de granos!

Pablo Diablo se tiró al suelo y empezó a revolcarse en el polvo.

–¡Ayyy, ayyy! ¡Granos, montones de granos! ¡Me pica todo el cuerpo! ¡Que alguien me ayude! –gritó.

Roberto, el niño perfecto, salió de estampida.

–¡Mamá! –aulló–. ¡Pablo tiene un millón de granos!

Marga y Susana iniciaron una rápida retirada.

Pablo Diablo dejó de revolcarse y se echó a reír a carcajadas.

s juá juá...! ¡No hay quien pueda con la Man🖐 Negra!

–¡Nos las pagarás, Pablo! –dijo Marga.

–Ya ya –dijo Pablo.

–Es cierto que no les robaste las galletas, ¿verdad Pablo?
–preguntó el Señor Gusano al día siguiente.

–Da igual –dijo Pablo Diablo–. Y vuelve a tu puesto de guardia. El enemigo puede estar planeando un ataque en represalia.

–¿Por qué tengo que estar siempre yo de guardia?
–dijo Roberto–. No es justo.

–¿De quién es este club? –preguntó Pablo con ferocida

El labio de Roberto empezó a temblar.

–Tuyo –murmuró.

–Pues si quieres seguir siendo miembro temporal de él, tendrás que hacer lo que yo te diga –dijo Pablo.

–Vale –dijo Roberto.

–Y recuerda que, si lo haces muy bien, algún día serás ascendido de centinela a centinela-jefe.

–¡Halaa…! –exclamó Roberto, animándose.

Liquidado el asunto, Pablo Diablo estiró el brazo hacia la lata de galletas. Había dejado reservadas cinco deliciosas rosquillas de chocolate.

Agarró la lata y se quedó inmóvil. ¿Por qué no sonaba? La sacudió.

S i l e n c i o .

Pablo Diablo arrancó la tapa de un tirón y dio un grito.

La lata de galletas de la Mano  Negra estaba vacía. Excepto por una cosa: un puñal dibujado en una hoja de papel. ¡La maldita marca del *club secreto* de Marga! Muy bien, pues iba a enseñarles quién mandaba.

–¡Gusano! –chilló–. ¡Ven acá!

Roberto entró.

—¡Hemos sufrido un asalto! —gritó Pablo—. ¡Estás despedido!

Buaaaaaaaaaa! —sollozó Roberto.

—Buen trabajo, Susana —aplaudió la jefa del *club secreto* con la cara cubierta de chocolate.

—No veo por qué te has quedado tú con tres rosquillas y yo solo con dos, cuando he sido yo la que ha entrado y las ha robado —protestó agriamente Susana.

—Es el tributo a tu jefa —justificó Marga Caralarga.

—Sigo pensando que no es justo —rezongó Susana.

—Pues te aguantas —dijo Marga—. Y ahora, dame tu informe de espía.

¡¡oÉÉ, oÉ-oÉ-oÉÉÉÉ!! ¡¡oÉÉ, oÉ-oÉ-oÉÉÉÉ!! atronó una voz desde el exterior.

Marga y Susana salieron a escape de la tienda del *club secreto*. Demasiado tarde. Pablo estaba ya dando brincos y ondeando la bandera del *club secreto* que acababa de robar.

—¡Pablo, devuélvenos eso! —gritó Marga.

—¡Oblígame! —dijo Pablo.

Susana corrió a por él. Pablo salió disparado.

Marga le persiguió. Pablo la esquivó.

—¡Venid a por mí! —se burló Pablo.

—Muy bien —dijo Marga. Caminó hacia él y de pronto saltó sobre la tapia del jardín y corrió hasta la guarida de la Mano Negra.

—¡Eh, sal de ahí ahora mismo! —aulló Pablo, persiguiéndola.

¿Dónde se metería el inútil del centinela cuando más se le necesitaba?

Marga se apoderó de la bandera de la calavera y las tibias cruzadas de Pablo y salió a toda prisa.
Los dos jefes estaban UNO frente a OTRO.

—¡Dame mi bandera! —ordenó Pablo

—¡Dame mi bandera! —ordenó Marga

—Tú primero —dijo Pablo.

—Tú primero —dijo Marga.

Ninguno de los dos se movió.

—Muy bien. Cuando cuente tres, nos las tiraremos el uno al otro —propuso Marga—. Una, dos, tres... ¡TIRA!

Marga siguió **sujetando** la bandera de Pablo.
Pablo siguió agarrando la bandera de Marga.
Pasaron algunos momentos.

—TRAMPOSO —dijo Marga.

—TRAMPOSA —dijo Pablo.

–No sé tú, pero yo estoy metida en un importante trabajo de espionaje que no puedo interrumpir –declaró Marga.

–Vale –repuso Pablo–. Pues sigue con él. Nadie te lo impide.

–Suelta mi bandera, Pablo –exigió Marga.

–No –dijo Pablo.

–¿Que no? –dijo Marga–. ¡Susana, tráeme las tijeras!

Susana   salió corriendo.

–¡Roberto! –gritó Pablo–. ¡Gusano! ¡Señor Gusano! ¡Excelente, Señor Gusano!

Roberto asomó la cabeza por la ventana del piso de arriba.

–¡Roberto! ¡Tráeme las tijeras! ¡Rápido! –ordenó Pablo.

–No –respondió Roberto–. Me despediste, ¿no te acuerdas? –y cerró la ventana de golpe.

–¡ROBERTO, ERES HOMBRE MUERTO! –aulló Pablo.

Susana Tarambana volvió con las tijeras y se las dio a Marga.
Marga las acercó a la bandera de Pablo.
Pablo no se inmutó.

No se atrevería…

¡Tris!

¡Aaaagghh! Marga Cara l a r g a había cortado una esquina de la bandera de Pablo y blandía las tijeras, dispuesta para un nuevo corte.
Pablo Diablo había pasado horas pintando su preciosa bandera.
Sabía que estaba vencido.

–¡Alto! –chilló.

Soltó la bandera de Marga.
Marga soltó la suya. Se acercaron
muy despacio el uno al otro hasta que,
con un rápido movimiento,
agarraron cada uno su bandera.

–¿Tregua? –dijo Marga Cara l a r g a, radiante.

–Tregua –convino Pablo Diablo, ceñudo, mientras pensaba:

«Me las pagará. Nadie toca mi bandera y vive para contarlo».

Pablo Diablo vigiló y esperó hasta que oscureció
y pudo oír el clin-clan-clon de Marga practicando con su piano.
No había nadie a la vista. Pablo se deslizó fuera de su casa,
saltó la tapia y se metió rápidamente en la tienda
del **club secreto**

¡ZAS!   Se apoderó de los lápices
         y del **código** secreto del **club secreto**.
¡CHAS!   Birló el taburete del **club secreto**.
¡FLAS!   Arrambló con la lata de galletas del **club secreto**.
         ¿Era eso todo?
         ¡No!
¡CLAS!   Descolgó el letrero con el lema del **club secreto**

«Abajo los chicos»

¡RAS!   Trincó la alfombra del **club secreto**.
Pablo Diablo miró a su alrededor. El **club secreto** estaba vacío.
Excepto…
Pablo se paró a pensar. ¿Lo hacía?

¡Sí!

PABLO DIABLO y el asalto

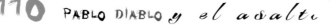

¡CRASH! La tienda del *club secreto* se vino abajo.
Pablo la arrebujó entre sus brazos con el resto del botín.
Sin aliento y jadeando, resollando y tambaleándose,
Pablo Diablo se alejó, cargado con el *club secreto*,

y escaló la tapia.

Los saqueos eran un trabajo arduo y acalorado,
pero un *pirata* tenía que cumplir con su deber.
Seguro que el botín quedaría estupendo
como decoración de su guarida. Una alfombra en el suelo,
una segunda lata de galletas, un cartel con el lema corregido
(«Abajo las chicas»)...
Sí señor, en el futuro, la GUARIDA de la Man Negra, tendría
que llamarse PALACIO de la Man Negra.
A propósito, ¿dónde estaba la GUARIDA de la Man Negra?

Pablo Diablo miró a su alrededor frenéticamente,
buscando la entrada.
                                HABÍA DESAPARECIDO.
Buscó el trono del jefe de la Man Negra.
                                HABÍA DESAPARECIDO.
Y la caja de galletas de la Man Negra...

¡DESAPARECIDA!

Entre las sombras se oyó un rumor.
Pablo Diablo se volvió y vio algo extraordinario.
La GUARIDA de ramaje de la Man Negra
se apoyaba en el cobertizo.

111

¿Cómo?

De pronto, la **GUARIDA** empezó a moverse sola.

Despacio, como a tirones, la guarida cruzó el césped tambaleándose sobre cuatro extrañas patas hasta llegar a la tapia.

Pablo Diablo se indignó.

¿Cómo podía atreverse nadie a birlarle su guarida?

Era intolerable.

¿Qué clase de mundo era este,
con gente que se colaba en tu jardín
y se largaba con tu **GUARIDA** a cuestas?

¡Pues de eso, nada!

Pablo Diablo profirió un alarido pirata.

—¡GRROOOAAAAAAAAAAAARRRRRRR! —rugió Pab

—¡AAAAAAAYYYYYYYY! —chilló la guarida.

¡CATACHOF!

La guarida de la Man Negra se *vino* al *suelo*.
Los autores del asalto salieron corriendo y discutiendo acaloradamente.

–¡TE HE DICHO QUE TE DIERAS PRISA, SO PLASTA!

–¡PLASTA LO SERÁS TÚ!

¡Bien!

Pablo Diablo subió a lo ^{alto} de su **GUARIDA**
y agarró su bandera.
La ondeó con orgullo mientras entonaba su himno triunfal:

–¡¡oÉÉ, oÉ-oÉ-oÉÉÉÉ!!

¡¡oÉÉ, oÉ-oÉ-oÉÉÉÉ!!

CÓMO DESHACERSE DE LOS MALVADOS ENEMIGOS

Catapultarlos a un foso lleno de pirañas

Soltar cocodrilos en su dormitorio

Desterrarlos a una isla sin televisión.

¡CUIDADO! ADULTOS MALVADOS

Mariví Bisturí

Elena la Hiena

Señorita Guillotina

Verónica, la diabólica mujer del comedor

PLANES PARA LA BATALLA

Introducirnos en la tienda del Club secreto
y ARRAMBLAR con la lata de galletas
mientras Marga está ensayando
con su trompeta.

ESPIAR las reuniones del Club secreto
y desbaratar todos sus malévolos planes.

¡BOMBAS FÉTIDAS!

PONER TRAMPAS en su Club, con un cubo
de agua sobre la puerta de entrada.

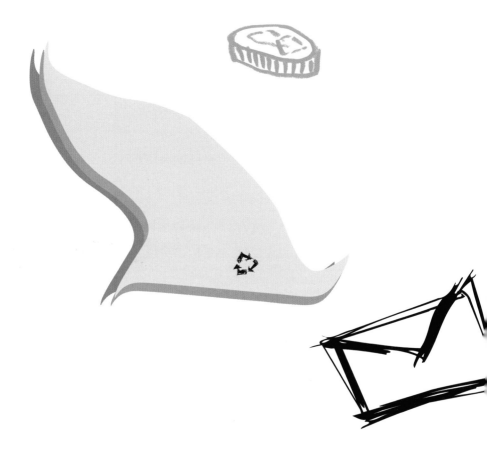

PABLO DIABLO
va al trabajo

–¡Te toca a ti!

–¡No, a ti!

–¡A ti!

–¡A ti!

–¡Yo llevé a Pablo el año pasado! –dijo la **madre** de Pablo y Roberto.

El **padre** hizo una pausa.

–¿Estás segura?

–Sí –dijo la **madre**.

–¿Seguro que estás segura? –preguntó el **padre**.

Estaba pálido.

–¡Pues claro que estoy segura!

–repuso la madre–. ¿Crees que podría haberlo olvidado?

Era la víspera de la jornada nacional
«Lleve a su hijo al trabajo».
La madre de Pablo y Roberto quería llevar a Roberto a su **oficina**.
El **padre** de Roberto y Pablo
también quería llevar a Roberto a la suya.
Por desgracia, alguien tenía que llevarse a Pablo.
Aquel mismo día, su **JEFE** le había dicho al padre
cuántas ganas tenía de conocer a *«su encanto de hijo»*...

–Naturalmente, yo traeré a mi chico, a Martín
–había prometido el **JEFAZO**–. Un magnífico muchacho.
Un corazón de oro. Más listo que el hambre. Excelente
futbolista. Brillante en matemáticas. *Virtuoso* de la trompeta.
Modales impecables. Sí señor, estoy muy orgulloso de Martín.

El **padre** de Pablo y Roberto
trató de no odiar a Martín.
Pero no pudo.

—**Escúchame, Pablo** —dijo su **padre**—. **Mañana vas a venir conmigo
a la oficina. Te lo advierto: mi jefe va a llevar a su hijo.
Y, por lo visto, es perfecto.**

¿Como yo? —preguntó Roberto—. Me encantaría conocerle.
¡Podríamos intercambiar ideas para hacer buenas obras!
¿Crees que le gustaría formar parte de mi Club de los Chavales Ideales?

—**Tú irás a la oficina de tu madre**
—repuso su padre con amargura—.**Yo me llevaré a Pablo.**

¡Qué guay! —exclamó Pablo—.

¡Un día sin ir al colegio! ¡Un día en la oficina!

¡Jugaré con juegos de ordenador! ¡Y comeré donuts!
¡Y navegaré por Internet!

–¡NO! –le interrumpió su **padre**–.
Una oficina es un sitio donde la gente trabaja,
y quiero un comportamiento perfecto.
Mi JEFE es muy severo. No puedes dejarme en mal lugar, Pablo.

–PUES CLARO QUE NO –dijo Pablo Diablo.

Estaba escandalizado. ¿Cómo podía pensar su **padre** semejante cosa?
El único problema era cómo pasárselo bien
en compañía del perfecto plasta que prometía ser el tal Martín.

–Recuerda lo que te dije, Pablo
–insistió su padre al llegar a su oficina a la mañana siguiente–.
Sé amable con Martín y haz lo que él te diga.
Es el hijo del JEFE. Intenta ser tan bueno como él.

–Muy bien –asintió Pablo con amargura.

El **JEFE** de su **padre** vino a darles la bienvenida.

–¡Tú debes de ser Pablo! –saludó el **JEFAZO**–.
Este es mi hijo Martín.

–Es un placer conocerte, Pablo –dijo Martín.

–Mmmmmmmmmmmmmmmmmm –gruñó Pablo Diablo.

Miró a Martín. Llevaba chaqueta y corbata.
Su cara resplandecía.
Sus zapatos brillaban tanto que Pablo
podía ver su cara sucia reflejada en ellos.
También era mala pata pasar
un día entero pegado a un *Figurín*
como el dichoso Martín.

—Muy bien, muchachos. Vuestro primer trabajo será hacer té para todos los que estamos en la sala de reuniones —dijo el **JEFAZO**.

—¿Tengo que hacer yo eso? —preguntó Pablo Diablo.

—¡PABLO! —dijo su padre.

—Sí —dijo el **JEFAZO**—. Seis tes en total. Con una cucharadita de azúcar cada uno.

—Qué bien. Gracias, papá —dijo Martín el *Figurín*—. Me encanta hacer té.

—Yuuuuuuuuuuuuupaaaaaaaaaaaaaaaaaaaaaaaa... —farfulló entre dientes Pablo Diablo.

Con una alegre sonrisa, el **JEFAZO** salió de la habitación. Pablo Diablo se quedó solo con Martín el *Figurín*.

En el momento en que el **JEFAZO** cruzó la puerta, la cara de Martín cambió.

—Podría hacerse él solito su estúpido té —rezongó.

—Creía que te encantaba hacer té —dijo Pablo Diablo. Aquello le había sonado prometedor...

—De eso nada —respondió Martín—. ¿Acaso soy un criado? El té lo harás TÚ.

123

—¡Lo harás tú! —dijo Pablo Diablo.

—¡Lo harás tú! —dijo Martín el *Figurín*.

—Sí —dijo Martín—. Esta empresa es de mi papá y tú haces lo que yo te di

—No —dijo Pablo.

—Pues sí —dijo Martín.

—Pues no —dijo Pablo.

—Yo no trabajo para TI —dijo Pablo.

—Ya, pero tu papá trabaja para mi papá —dijo Martín el *Figurín*—.
Y si no haces lo que yo te diga, le diré a mi papá que despida al tuyo

Pablo Diablo le dirigió a Martín una **mirada asesina** y,
m u y d e s p a c i o, encendió el calentador de agua
para hacer el té.
Cuando fuera rey, mandaría construir un estanque lleno
de tiburones solo para Martín. Martín el *Figurín* se cruzó de brazos
y dirigió a Pablo una sonrisa de suficiencia mientras este vertía
el agua caliente sobre las bolsas de té. «Valiente reptil»,
se dijo Pablo.
Luego se chupó los dedos
y los metió en el tarro del azúcar.

—Qué guarro eres
—dijo Martín el *Figurín*—.
Pienso decírselo.

—¿Y a mí, QUÉ? —dijo Pablo lamiendo el azúcar pegado a sus dedos.

Después de su primo Clemente, el repelente,
Martín el *Figurín* era el chico más repugnante
que había conocido en su vida.

—¡Eh, se me ha ocurrido una idea genial! —dijo Martín—.
¿Por qué no ponemos sal en el té en vez de azúcar?

Pablo Diablo dudó un momento. Ahora bien,
¿no le había dicho su **padre** que hiciera todo lo que dijera Martín?

—Vale —aceptó Pablo.

Martín el *Figurín* echó una cucharadita bien cargada de sal en cada taza.

—Y ahora, fíjate bien —dijo.

—Gracias, Martín —dijo el señor Cordón—. ¡Eres estupendo!

—Gracias, Martín —dijo la señora Bolín—. ¡Eres maravilloso!

—Gracias, Martín —dijo el **JEFAZO**—. ¿Qué os parece el té?

—Delicioso —dijo el señor Cordón, y dejó la taza en el platito.

—Exquisito —dijo la señora Bolín, y dejó la taza en el platito.

—**Mmmmmmmm** —dijo el padre de Pablo, y dejó la taza en el platito.

A continuación, el jefazo dio un sorbo al suyo.

Se le heló la sonrisa en la cara.

—¡ASQUEROSO! —dijo sin aliento mientras escupía el té—.

¡PUAAJJJJJJ! ¿QUIÉN LE HA PUESTO SAL A ESTO

—Este té es repugnante —declaró el señor Cordón.

—Espantoso —reiteró la señora Bolín.

—Pablo —dijo Martín.

Pablo Diablo se ofendió.

—¡Mentiroso! —gritó—. ¡Has sido tú!

—Le he dicho que no lo hiciera, papá, pero no ha querido escucharme —dijo Martín el *Figurín*.

—Me has decepcionado, Pablo —dijo el **JEFAZO**—.
Martín nunca haría una cosa así —y miró al **padre** de Pablo
como si quisiera que una nave extraterrestre
lo desintegrara con un rayo letal.

—¡Pero si yo no he sido! —insistió Pablo,
y miró ferozmente a Martín. ¡Valiente reptil!

—Ahora salid de aquí, muchachos,
y ayudad a contestar llamadas telefónicas.
Martín te enseñará cómo se hace, Pablo
—indicó el **JEFAZO**.

 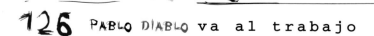

Pablo Diablo salió de la sala de reuniones detrás de Martín.

«Prepárate, Martinito», dijo para sus adentros.
«Esta me la pagas».

Martín se sentó tras una ENORME mesa de despacho
y puso los pies encima.

—Ahora, haz lo que yo —dijo.
Contesta el teléfono
igual que lo hago yo.

Ring ring.

—¡Restaurante El Elefante, dígame! —contestó Martín.

Ring ring

—¡Paellas para llevar
El Calamar, dígame! —contestó Martín.

Ring ring

—¡Pizza Delicia, dígame!
—contestó Martín.

Ring ring

—Vamos, Pablo. Contesta tú ahora.

—¡NO!—dijo Pablo.
Después de lo que acababa de ocurrir con el té,
nunca volvería a fiarse de Martín.

—¿No serás un miedica? —dijo Martín.

—N@ —dijo Pablo.

—Pues entonces contesta. Yo ya lo he hecho.

Ring ring Ring ring

—Muy bien —dijo Pablo, y agarró el teléfono.

Contestaría una sola vez.

—¿Es usted don Hugo? ¡Despedido por besugo!

S i l e n c i o .

—¿Eres tú, Pablo?
—dijo el jefazo al otro lado de la línea.

¡Huyyyy! ¡Socorro!

—Se ha confundido de número
—graznó Pablo Diablo, y colgó de golpe el teléfono.

Vaya por Dios. En menudo lío se había metido.
Gordo. **Gordísimo.**

El jefazo entró como un *torbellino* en la habitación.

—¿Qué está pasando aquí?

—Le he dicho que no lo hiciera, pero no ha querido escucharme —dijo Martín el *figurín*.

—¡NO ES VERDAD! —chilló Pablo Diablo— ¡Has empezado tú!

—Lo que hay que oír... —dijo Martín el *Figurín*.

—¿Y qué has estado haciendo tú, hijo? —preguntó el jefazo.

—He estado comprobando tus teléfonos —dijo Martín—. Creo que tienes un problema en la línea 2, *papá*. Te lo arreglaré en un momento.

—¡Olé mi niño! ¡Un genio en ciernes! —dijo el **JEFAZO**, radiante.

—¡Te he dicho que siguieras el ejemplo de Martín! —soltó furioso el **padre** de Pablo.

—¡Lo he hecho! —gritó Pablo.

Martín el *Figurín* y el **JEFAZO** intercambiaron miradas de conmiseración.

Martín el *Figurín* dirigió a Pablo una mirada amenazadora. Pablo se la devolvió.

129

–No suele portarse así normalmente

–mintió el **padre** de Pablo.

Parecía como si quisiera que un *molino de viento* se lo llevara de allí.

–¡Sí que suelo portarme así normalmente!

–protestó Pablo–. ¡Pero no hoy!

–Como vuelvas a armar otro lío, un año entero sin paga

–le dijo su **padre** en voz baja.

¡QUÉ INJUSTICIA!

¿Por qué le echaban a él la culpa cuando no la tenía en absoluto?

–Te voy a dar otra oportunidad –dijo el jefazo,
dándole a Pablo un **MONTÓN** de papeles–.
Fotocopiádmelos para la reunión de esta tarde –dijo–,
y si hay más problemas, le diré a tu padre que te lleve a casa.

¡Llevarle a casa!

Su **padre** nunca se lo perdonaría.
Ya estaba suficientemente furioso con él.

Y todo por culpa de Martín.
Con cara de pocos amigos,
–¡Ja ja ja ja ja! ¡En buen lío te he metido! –rió satisfecho Martín.

Pablo Diablo resistió el impulso de triturar a Martín el *Figurín*
en trocitos menudos, tipo picadillo.
En vez de eso, Pablo se puso a pensar.

Aunque fuera más bueno que el pan el resto del día,
Martín sería el triunfador.

Pablo Diablo siguió a Martín al cuarto de las fotocopias.

Se le tenía que ocurrir un **plan**
para que Martín se las pagara.
Y deprisa. Pero ¿qué hacer?
Por gordas que fueran
las travesuras
que cometiera Martín,
Pablo sabía que quien
se la cargaría sería **ÉL.**
Nadie creería
que no eran obra suya.
Para que su plan funcionase,
tenían que pillar a Martín
con las manos en la masa.

Y, de pronto, se le ocurrió.
Era un **plan** totalmente brillante, de una maldad espectacular.
Un **plan** que dejaba cortos a todos los demás.

Un **plan** que pasaría a la historia.
Un **plan**...

Pero no tenía tiempo
para dedicarlo a felicitarse como merecía.

Martín el *Figurín* le arrancó los papeles de las manos.

—Yo haré las fotocopias porque este es el despacho de mi papá
—dijo—. Si te portas bien, te dejaré que después entregues
los papeles.

131

—Lo que tú digas —dijo mansamente Pablo Diablo—. Al fin y al cabo, tú eres el JEFE.

—Desde luego que sí —dijo Martín el *Figurín*—. Todo el mundo tiene que hacer lo que yo diga.

—Naturalmente —dijo conciliador Pablo Diablo—. Oye, he tenido una GRAN IDEA —añadió al cabo de un momento—. ¿Por qué no hacemos unas cuantas muecas horribles, las fotocopiamos y las colgamos por toda la sala de reuniones?

Los ojos de Martín el *Figurín* brillaron.

—¡VALE! —dijo.

S a c ó la lengua. Puso cara de **orangután**. Torció el morro.

—Je je je... —y, de pronto, se detuvo—. Espera un momento. Nos reconocerán.

¡Rayos! Pablo Diablo no había pensado en ello.

Su precioso plan se derrumbaba ante sus propios ojos.

Martín vencería.

Pablo perdería.

Las terribles imágenes de Martín el Figurín riéndose de él por toda la eternidad surgieron ante él, amenazantes.

¡NO!

Nadie se había reído jamás de Pablo Diablo
y había vivido para contarlo.

«Necesito un cambio de planes»
pensó desesperado Pablo.

Y de pronto supo lo que tenía que hacer.
Era arriesgado.
Era peligroso.
Pero era el único camino.

—Ya sé —dijo Pablo Diablo—.
En vez de las caras,
fotocopiaremos nuestros traseros.
—¡Eso es! —dijo Martín el *Figurín*—.
Era justo lo que yo iba a proponer.

—Me pido primero
—dijo Pablo empujando a Martín para apartarlo.

—¡NO, YO! —dijo Martín devolviéndole el empujón.

«¡ESO ES!» se dijo Pablo Diablo
cuando vio que Martín se encaramaba a la fotocopiadora.

—Tú colocarás las fotocopias en la sala de reuniones
—siguió diciendo Martín.

—¡Estupendo! —dijo Pablo.

Sabía lo que Martín estaba pensando.
Haría que viniera su padre
cuando Pablo estuviese pegando con cinta adhesiva
fotocopias de traseros por toda la sala de reuniones.

—Voy a buscar la cinta adhesiva —dijo Pablo.

—Vale. Tú mismo —dijo Martín el *Figurín*
mientras empezaba a oírse el zumbido de la fotocopiadora.

Pablo Diablo corrió por el vestíbulo hasta la oficina del **JEFAZO**.

—¡Venga rápido, Martín tiene un problema!
—dijo Pablo.
El **JEFAZO** dejó caer el teléfono y salió al vestíbulo
de estampida detrás de Pablo.

—¡AGUANTA, MARTINITO, QUE VIENE PAPAÍTO!
—chilló, y entró precipitadamente en el cuarto de las fotocopias.

Allí estaba Martín el *Figurín*, encaramado en la fotocopiadora,
de espaldas a la puerta y canturreando despreocupado:

–Uno, dos y tres traseros..., cuatro, cinco y seis en cueros

–¡Martín! –aulló el **JEFAZO**.

–¡Ha sido Pablo! –aulló Martín el *Figurín*–.
Yo solo estaba probando la fotocopiadora para ver si...

–¡Martín, cállate! –gritó el **JEFAZO**–.
He visto de sobra lo que estabas haciendo.

–Le he dicho que no lo hiciera,
pero no ha querido escucharme –dijo Pablo Diablo.

Durante el resto del día, Pablo Diablo lo pasó en grande
en la **oficina** de su **padre**.
Después de que a Martín le castigaran un mes sin salir
y fuera devuelto a su casa inmediatamente,
Pablo se dedicó a darles vueltas
y más vueltas a las sillas giratorias.
Luego comenzó a esconderse detrás de la gente
y a gritar de pronto «¡Buuuu!».
Después comió dOnuts,
jugó con **juegos de ordenador**
y navegó por Internet.

«¡Hay que ver lo divertida que es una oficina!,
¡qué bien lo voy a pasar cuando sea MAYOR
y me ponga a trabajar!».

pensó Pablo Diablo.

Malvado enemigo

Martín el *Figurín*

Martín tiene un trasero grande, enorme, **giganteeesco**.

PLANES PARA LA BATALLA

✓ Introducirnos en la tienda del club secreto ✓ y ARRAMBLAR con la lata de galletas mientras Marga está ensayando con su trompeta.

✓ ESPIAR las reuniones del club secreto y desbaratar todos sus malévolos planes.

✓ BOMBAS FÉTIDAS!

✓ PONER TRAMPAS en su club, con un cubo de agua sobre la puerta de entrada.

PABLO DIABLO y la bomba fétida

–¡Te odio, Marga! —chilló Susana Tarambana.

Y salió bruscamente de la tienda del club secreto.

–¡Y yo a ti! —chilló Marga Caralarga.

Susana Tarambana le sacó la lengua.
Marga Caralarga se la sacó a ella.

–¡DIMITO! —aulló Susana.

–No puedes dimitir. ¡ESTÁS EXPULSADA! —aulló Marga.

–No puedes expulsarme. ¡HE DIMITIDO! —replicó Susana.

–YO te he expulsado primero –insistió Marga–.
¡Y he cambiado el «santo y seña»!

–Pues muy bien. Me importa un rábano.
¡No quiero seguir siendo del club secreto!
–dijo agriamente Susana.

–¡Más te vale! Porque no te queremos en él.

Marga Caralarga, **furibunda**,
volvió a entrar en la tienda
y Susana Tarambana se alejó con aire ofendido.

¡Al fin libre! Susana estaba ya hasta la coronilla
de su ex mejor amiga Marga la Mari**MANDONA**.
Mal estaba que le hubiera echado la bronca
por la desastrosa incursión contra la guarida de la Mano Negra
cuando toda la culpa había sido de Marga.

¡Pero pedirle a la imbécil de Vanesa la Espesa que entrara
en el c l u b sin habérselo comentado siquiera,
pasaba ya de castaño **oscuro**!
Susana odiaba a Vanesa
aún más de lo que odiaba a Marga.
Vanesa no la había invitado a dormir en su casa.
Y además era una copiona.
Pero a Marga, por lo visto, no le importaba.
Hoy mismo había nombrado espía-**jefe** a Vanesa.

Bueno, pues Susana ya estaba harta.
Era la última vez que Marga se portaba mal con ella.
Se acabó.
Susana pudo oír una oleada de carcajadas
dentro de la tienda del c l u b...
Conque se reían, ¿eh? De ella, sin duda.
Bien, pues ya iban a ver lo que era bueno.
Susana conocía al dedillo los planes
de alto secreto de Marga.
Y sabía de alguien a quien le interesaría muchísimo
aquella información.

–¡Alto! ¡Santo y seña!

–Sapos malolientes –dijo Roberto, el niño perfecto,
desde el exterior de la guarida de la Mano Negra.

–Error –dijo Pablo Diablo.

–¿Pues cuál es el nuevo? –preguntó Roberto.

—No voy a decírtelo precisamente a ti —dijo Pablo Diablo—. Has sido expulsado, ¿no te acuerdas?

Roberto, el niño perfecto, se acordaba.

Esperaba que a Pablo se le hubiera olvidado.

—¿Puedo volver a entrar, Pablo? —pidió Roberto.

—¡De eso nada! —repuso Pablo Diablo.

—Porfa... —rogó Roberto.

—No —dijo Pablo—.
Renato se encarga ahora de lo que tú hacías.

Renato el Mentecato asomó la cabeza
por entre el ramaje de la guarida de Pablo.

—No se permiten bebés —dijo.

—No te queremos aquí, Roberto —dijo Pablo Diablo—. Esfúmate.
Roberto, el niño perfecto, estalló en sollozos.

—¡Nene llorica! —se burló Pablo Diablo.
—¡Nene llorica! —se burló Renato el Mentecato.

Aquello hizo su efecto.

—¡Mamáá! —gimió Roberto, corriendo hacia la casa—.
¡Pablo no me deja jugar y me ha llamado nene llorica!

–¡Pablo, deja de incordiar a tu hermano! –gritó su **madre**.

Roberto esperó.

Su **madre** no dijo nada más.

Roberto, el niño perfecto, se puso a gemir con más fuerza.

–¡Mamáááá! ¡Pablo me está fastidiando!

–¡Pablo, deja en paz a Roberto! –gritó su **madre**. Salió de la casa con las manos cubiertas de masa de pan–.

¡Pablo, como sigas así...!

La **madre** de Pablo y Roberto miró a su alrededor.

–¿Dónde está Pablo?

–En su guarida –lloriqueó Roberto.

–Te he entendido que estaba fastidiándote –dijo su **madre**.

–¡Era verdad! –gimió Roberto.

–Pues no te acerques a él –le aconsejó su **madre**, y volvió a entrar en la casa.

143

Roberto, el niño perfecto, se sintió ofendido.

¿Pero qué era aquello?
¿Por qué su madre no había castigado a Pablo?
Pablo había sido tan **espantoso** con él
que merecía por lo menos un año de cárcel. •
O mejor dos años. ••
Y un solo mendrugo de pan por semana. Y coles de Bruselas.
¡SÍ SEÑOR! Así aprendería.
Pero, mientras esperaba a que Pablo fuera a la cárcel, •
¿cómo hacer que se las pagara bien pagadas?

De pronto Roberto supo exactamente qué hacer.
Comprobó que nadie le veía y, a continuación,
se deslizó por encima de la tapia del jardín
y se dirigió hacia la tienda del c l u b   s e c r e t o.

–¿Que Pablo va a hacer qué? —exclamó Marga.

–¡Marga no haría semejante cosa! –exclamó Pablo.

–Sí –asintió Susana.

–¿Cómo se atreve? –dijo Pablo.

–¿Es verdad que está planeando cambiar nuestra limonada por brebaje salvaje? –dijo Marga.

–Sí –asintió Roberto.

–¿Es verdad que está planeando echar una bomba fétida en la guarida de la Mano Negra? –dijo Pablo.

–¿Cómo se atreve? –dijo Marga–. Eso lo impido yo así de fácil: ¡Vanesa –gritó–, esconde la limonada!

Vanesa bostezó.

–Escóndela tú –replicó–. Yo estoy cansada. Marga la miró ferozmente y escondió la jarra debajo de una caja.

–¡Anda, que menuda sorpresa se va a llevar Pablo cuando se cuele aquí y se encuentre sin bebidas! –se regocijó Marga–. Eres un **héroe**, Roberto. Te concedo la Triple Estrella, el más alto honor que puede otorgar el club secreto.

–¡OOOH, GRACIAS! –exclamó Roberto. Era agradable que a uno le tuvieran cierta estima, para variar.

–Bien, pues a partir de este momento –dijo Marga Caralarga–, trabajarás para mí.

–Vale –aceptó el traidor.

Pablo Diablo se frotaba las manos.
¡Era fantástico! ¡Al fin tenía un espía infiltrado
en campo enemigo!
Y pensaba defenderse
de la estúpida bomba fétida con suma facilidad.
Marga solo soltaría la bomba si él estaba
dentro de la guarida.
Su centinela estaría apostado al acecho,
armado con un Pringa-Plaf,
y cuando Marga intentase colarse con su bomba fétida...

¡cataplaf!

—Eh, un momento
—dijo Pablo—. ¿Cómo sé que puedo fiarme de ti?

—Porque Marga es una **miserable** y una asquerosa y la **ODIO**
—dijo Susana Tarambana.

—Bien, pues a partir de este momento
—declaró Pablo Diablo—, trabajarás para mí.

Susana no estaba muy segura
de que le apeteciese oír aquello.
Pero enseguida recordó el infame cacareo de Marga.

—Vale —aceptó la traidora.

Roberto volvió con disimulo a su propio jardín
y tropezó con alguien.

–¡Ay!
–dijo Roberto.

**–¡A ver si miras
por dónde vas!**
–le soltó Susana.

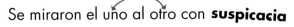
Se miraron el uno al otro con **suspicacia**

–¿Qué estabas haciendo en casa de Marga? –preguntó Susana.

–Nada –dijo Roberto–. ¿Y qué estabas haciendo tú en mi casa?

–Nada –dijo Susana.

Roberto se dirigió silbando a la guarida de Pablo.
Susana se dirigió silbando a la tienda de Marga.
Si por casualidad Susana estaba espiando a Pablo
por cuenta de Marga,
desde luego que no iba a ser Roberto quien avisara a Pablo.
Le estaría bien empleado.
Si por casualidad Roberto estaba espiando a Marga
por cuenta de Pablo, desde luego que no iba a ser Susana
quien avisara a Marga.
Le estaría bien empleado.

—Conque brebaje salvaje, ¿eh?
La idea le gustaba a Marga mucho más
que su propio plan de la bomba fétida.

—He cambiado de idea respecto a la bomba fétida
—decidió Marga—. En vez de eso, voy a cambiarle
sus bebidas por la guarrada esa del brebaje salvaje.

—Buena idea —dijo Vanesa la Espesa—. Menos trabajo.

—Conque una bomba fétida, ¿eh?

La idea le pareció a Pablo mucho mejor
que su propio plan del brebaje salvaje.
¿Cómo era posible que no se le hubiera ocurrido a él?

—He cambiado de idea respecto al brebaje salvaje
—decidió Pablo—. En vez de eso,
le voy a echar una bomba fétida.

—Vale —dijo Renato el Mentecato—. ¿Cuándo?

—Ahora mismo —dijo Pablo Diablo—. Venga, vamos a mi cuarto.

Pablo Diablo abrió la caja del equipo
de fabricar bombas fétidas.
Lo había comprado con la **abuela**.
Su **madre** jamás le habría dejado comprarlo.
Pero, como el dinero se lo había dado la **abuela**,
su **madre** no había podido impedirlo, je je je.

Y ahora, ¿qué tufo apestoso escoger?
Inspeccionó los tubos de ensayo llenos de polvos
y leyó sus espeluznantes etiquetas.

Mal aliento

Caca de perro

Huevos podridos

Calcetín sudado

Pescado pocho

Desagüe atascado

—Por mí, **pescado pocho** —sugirió Renato—. Es el peor.

Pablo caviló un momento.

—¿Qué tal si mezclamos pescado pocho y huevos podridos?

—¡Vale! —dijo Renato el Mentecato.

Lenta y cuidadosamente,
Pablo Diablo mezcló una cucharadita justa
de polvo de **pescado** muerto
y una cucharadita justa de polvo de huevos podridos
en una bolsita especial.

Lenta y cuidadosamente,
Renato el Mentecato vertió ciento cincuenta mililitros
de líquido secreto para bombas fétidas en un botellín
y le puso un tapón bien apretado.
Ya solo tenían que echar el polvo en la botella a la entrada
del club secreto y... ¡salir corriendo!

—¿Listo? —preguntó Pablo Diablo.

—Listo —respondió Renato el Mentecato.

—Pase lo que pase —dijo Pablo Diablo—,
no lo derrames.

—Así que has vuelto arrastrándote —dijo Marga Caralarga—.
ESTABA SEGURA.

—No —dijo Susana Tarambana—. Pasaba por aquí
—echó un vistazo al interior de la tienda del club secreto
y añadió—: ¿Dónde está Vanesa?

—Se ha ido —dijo secamente Marga.

—¿Por hoy o para siempre? —preguntó Susana.

—**PARA SIEMPRE** —respondió Marga furibunda—.
Y que no vuelva yo a ver por aquí a esa vaga indecente.

Marga y Susana se miraron.

Susana dio unas pataditas en el suelo.

Marga carraspeó.

–¿Qué? –dijo Marga.

–¿Qué de qué? –repuso Susana.

–Vas a volver a entrar en el club secreto como espía-**jefe**, ¿sí o no?

–Puede que sí –dijo Susana– y puede que no.

–Como tú quieras –declaró Marga–.
Llamaré a Violeta la Coqueta
y le diré que se haga del club en tu lugar.

–Vale –dijo Susana rápidamente–. Entraré.

¿Debía mencionar su visita a Pablo?
Mejor no.
Al fin y al cabo, Marga no podía enfadarse
por algo que no sabía.

–A propósito de mi plan de las bombas fétidas
–empezó a decir Marga–, he decidido…

Algo se hizo añicos en el suelo dentro de la tienda.
El aire se llenó de un hedor repugnante, asqueroso,
repelente y apestoso.

151

–¡PUUAAAAAAAAJJJJJJ! –chilló Marga Caralarga, medio ahogada–. ¡Es una... BOMBA FÉTIDA!

–¡SOCORRO! –aulló Susana Tarambana–. ¡BOMBA FÉTIDA! ¡Socorro! ¡Socorro!

¡Victoria! Pablo Diablo y Renato el Mentecato corrieron de vuelta a la guarida de la Mano Negra y se revolcaron por el suelo a carcajada limpia. **¡Menudo triunfazo!**

¡Marga y Susana chillando a voz en grito!
¡La madre de Marga chillando a voz en grito!
¡El padre de Marga chillando a voz en grito!
¡Y qué pestazo!
Pablo Diablo no había olido nada tan espantoso en toda su vida. Aquello había que celebrarlo. Pablo Diablo le ofreció a Renato un puñado de caramelos y llenó dos vasos de Burbucola.

–¡Salud! –dijo Pablo.

–¡Salud! –dijo Renato.

Bebieron.

–¡PUUAAAAAAAJJJJJ!
–graznó Renato, medio asfixiado.

–¡Pueeeejjjj! –chirrió Pablo, tosiendo
y escupiendo–.
¡Nos han... ajjj... nos han puesto

brebaje salvaje!

Y en ese momento, a los oídos de Pablo Diablo
llegó un espantoso sonido.
Marga Caralarga y Susana Tarambana estaban fuera
de la guarida de la Man Negra y entonaban su himno triunfal.

–¡¡OÉÉ, OÉ-OÉ-OÉÉÉÉ!!

¡¡OÉÉ, OÉ-OÉ-OÉÉÉÉ!!

¡MALVADO ENEMIGO!

Roberto, el niño perfecto

ILYVIGLVHFMHZKLZKVHGLHLBFMTFHZML

Roberto es un sapo apestoso
y un gusano.

Lo llevas claro, Pablo.

No estás a nuestra altura.

<u>CUIDADO</u> con la luna llena.

¡El club secreto es el MEJOR!

PABLO DIABLO, hipnotizador

157

–Tienes sueño –repitió Marga Cara l a r g a–.
Tienes mucho, mucho sueño.

Balanceó lentamente su reloj delante de Susana.

–Tanto sueño que... estás dormida...
Estás ya **profundamente** dormida.

–No, no lo estoy
–repuso Susana Tarambana.

–Cuando chasquee los dedos empezarás a roncar

Marga chasqueó los dedos.

–Pero es que no estoy dormida –insistió Susana.

Marga la miró con **SEVERIDAD**

–¿Cómo voy a hipnotizarte
si no pones nada de tu parte? –protestó.

–Sí que pongo, lo que pasa es que eres una mala hipnotizadora

–replicó Susana, irritada–. **¿Me toca ya?**

–No, todavía me toca a mí –dijo Marga.

–Tú ya lo has intentado –dijo Susana.

-¡NO LO SUFICIENTE!

—Pero es que así nunca me tocará ser la hipnotizadora
—se quejó Susana.

-¡Quejica!
-¡Abusona!

-¡Tramposa!

-¡Tramposa!

¡Plaf!

¡Plaf!

Susana miró **furiosa** a Marga.
¿Cómo podía ser amiga de semejante **abusona**, cascarrabias
y mariMANDONA?

-¡TE ODIO, MARGA! —chilló Susana Tarambana..

-¡Y YO A TI MÁS! —chilló Marga Caralar g a.

–¡Cerrad ya el pico, pajarracas! –voceó Pablo Diablo desde su hamaca en el jardín de al lado–. ¡De lo contrario, los piratas de la Mano Negra os darán un paseo por la tabla!

–¡Cierra el pico tú, Pablo! –contestó Marga.

–¡Eso es, Pablo! –apostilló Susana.

–¡SOIS UN PAR DE MEEEMAS! ¡SOIS UN PAR DE MEEEMAS! –cantó a gritos Renato el Mentecato, que estaba jugando a piratas con Pablo.

–¡Los memos sois vosotros! –gritó Marga Caralarga, furiosa–. Y ahora, dejadnos en paz, que estamos ocupadas.

–Pablo, ¿puedo jugar a piratas contigo? –preguntó Roberto, el niño perfecto, saliendo de la casa.

–¡No, quisquilla canija! –le espetó el Capitán Garfio–. ¡Apártate de mi camino si no quieres que te haga picadillo con mi garfio!

–¡Ma mááá! –gimoteó Roberto–.
¡Pablo dice que me va a hacer picadillo!
Y no me deja jugar con él.

–¡PABLO, DEJA DE FASTIDIAR! –gritó su **madre**.

–¿No puedes portarte bien con tu hermano para variar?
–dijo su **padre**.

«¡NO!», se dijo Pablo Diablo.
¿Por qué tenía que portarse bien
con semejante mocoso acusica?

Pablo Diablo no quería jugar a piratas
con Roberto. Roberto era el peor pirata
del mundo.

No sabía luchar con sable. **No** sabía fanfarronear.
Ni siquiera se acordaba de las **maldiciones** piratas.
Lo único que sabía era quejarse.

–Vale, Roberto, serás el prisionero.
Espera en el fortín –accedió Pablo.

–Pero es que siempre soy el prisionero –se quejó Roberto.

Pablo le miró con ferocidad.

–¿Quieres jugar o no?

–Sí, capitán –asintió Roberto, arrastrándose hasta la guarida
de la Mano Negra. Decidió que, al fin y al cabo,
más valía ser prisionero que nada.
Ojalá no le hicieran esperar allí demasiado rato, pensó.

—¡Vámonos de aquí, rápido!

—susurró Pablo al oído de Renato el Mentecato—.
He tenido una idea estupenda. Vamos a hacerles una jugarreta
a Marga y a Susana.

Siguió cuchicheando al oído de Renato. Renato sonrió.

Pablo Diablo se encaramó al muro bajo de ladrillo
que separaba su jardín del de Marga.

Marga Caralarga estaba todavía junto a Susana,
balanceando su reloj. Pero Susana estaba dándole la espalda
con los brazos cruzados.

—Lárgate, Pablo —ordenó Marga.

—Eso es, Pablo —apostilló Susana—. Nada de chicos.

—¿Estáis haciendo hipnosis?
—preguntó Pablo.

—Marga está intentando hipnotizarme, pero no puede
porque es una hipnotizadora lamentable —dijo Susana.

—La culpa es TUYA —replicó Marga, mirándola ferozmente.

—Pues claro que no puedes hipnotizarla —dijo Pablo—.
Lo estáis haciendo todo fatal.

–¿Y tú qué sabes? –dijo Marga.

–Lo sé –explicó Pablo– porque soy un GRAN HIPNOTIZADOR.

Marga Caralarga se echó a reír.

–Pues sí que lo es –aseguró Renato–.
Me hipnotiza a mí todo el rato.

–¿Ah, sí? –dijo Marga.

–Pues sí –dijo Pablo.

–DEMUÉSTRALO –le desafió Marga

–Vale –aceptó Pablo Diablo–. Dame el reloj.

Marga se lo dio.

Pablo se volvió hacia Renato.

–Mírame a los ojos –ordenó.

Renato miró a los ojos de Pablo.

—Ahora fíjate en el reloj
—ordenó Pablo el hipnotizador, haciendo oscilar
el reloj de un   lado a   otro.
Renato el Mentecato se balanceó también.

—Vas a obedecer mis órdenes —dijo Pablo.

—Obedecer... tus... órdenes
—repitió Renato con voz de robot.

—Cuando yo silbe, saltarás del muro
—dijo Pablo, y silbó.

Renato saltó del muro.

—¿Lo veis? —dijo Pablo Diablo.

—Eso no demuestra que esté hipnotizado
—repuso Marga—. Tienes que conseguir que haga tonterías.

—¿Como cuáles? —dijo Pablo.

—Dile que no lleva la ropa puesta.

—Renato, estás DESNUDO
—dijo Pablo.

Renato echó inmediatamente a correr

por el jardín, dando GRITOS.

–¡Uuua**aaaaaah**hhhhh**hhh!** –aulló–.
¡Estoy desnudo! ¡Estoy desnudo! ¡Dadme algo de ropa!
¡SOCORRO! ¡SOCORRO! ¡NO MIRÉIS, QUE ESTOY EN CUEROS!

Marga vaciló.
¿Sería posible que Pablo hubiera hipnotizado «de verdad» a Renato?

–Sigo sin creer que esté hipnotizado –declaró Marga.
–Pues mira esto –dijo Pablo Diablo–.
Renato, cuando chasquee los dedos serás... Marga.

¡Chasc!

–Me llamo Marga –dijo Renato–. Soy una cascarrabias
marimandona. Soy la mayor mariMANDONA del mundo.
Y tengo cara de sapo.

Marga se puso **roja de ira**.

Susana se rió.

_No tiene gracia –replicó Marga, **furiosa**.
Nadie se había burlado de ella y había vivido para contarlo.

–¿Lo ves? –dijo Pablo–. Renato obedece mis órdenes.

–Qué bárbaro –dijo Susana–.
Eres un auténtico hipnotizador. ¿Podrías enseñarme?

—A lo mejor —contestó Pablo Diablo—.
¿Cuánto me pagarías?

—Un cuentista de campeonato, eso es lo que es
—le espetó Marga con un mohín de desprecio—.
A ver. Si eres tan buen hipnotizador, hipnotízame a **MÍ**.

Vaya. Le habían pillado. Marga estaba tratando
de estropearle la jugada.

Muy bien, pues no se lo iba a permitir.

Pablo Diablo recordó quién era. Él era quien había conseguido
que la directora llamara a su despacho a la señorita Agripina Guillotina
Quien había aterrorizado a la canguro infernal.
Quien se la había dado con queso al Ratoncito Pérez.

Podría hipnotizar a Marga cuando él quisiera.

—Muy bien —aceptó, balanceando el reloj frente a Marga.

—Tienes sueño —dijo Pablo en tono monótono—.
Tienes mucho, mucho sueño.
Cuando chasquee los dedos,
obedecerás todas mis ÓRDENES.

Pablo chasqueó los dedos. Marga Caralarga
le miró retadora.
—ESTOY ESPERANDO —dijo.

—Pero bueno, ¿es que no tienes ni idea? —dijo Pablo
mientras pensaba rápidamente—. Eso era solo el principio.
Seguiré con la segunda parte cuando haya liberado a Renato
de mi poder. Renato, repite conmigo: «Soy una cinta adhesiva».

—Soy una cinta adhesiva —dijo Renato el Mentecato. Y eructÓ.

—Soy una cinta adhesiva que eructa —dijo Renato. Cruzó una mirada con Pablo y los dos soltaron la carcajada.

—¡Ja, ja, ja! ¡Susana, has picado! —chilló Pablo.

—¡De eso nada! —chilló Susana.

—¡Y TÚ TAMBIÉN! ¡OÉÉ, OÉ-OÉ-OÉÉÉÉ! —Pablo y Renato bailotearon victoriosos alrededor de Marga, entre brincos y ALARIDOS.

—Vámonos, Marga —dijo Susana—.
Vámonos a hacer hipnosis de verdad.

Marga no se movió.

—Vamos, Marga —insistió Susana.

—Soy una cinta adhesiva —dijo Marga.

—NO, NO LO ERES —dijo Susana.

—Sí que lo soy —dijo Marga.

Pablo y Renato dejaron de dar alaridos.

—A Marga le pasa algo —dijo Susana—. Está de lo más rara.

Marga, ¿te encuentras bien? Marga… ¿Marga?

Marga Cara l a r g a siguió inmóvil. Tenía los ojos en **blanco**.

Pablo Diablo chasqueó los dedos.

LEVANTA EL BRAZO DERECHO

—ordenó.

Marga levantó el brazo derecho.

«Curioso», pensó Pablo Diablo.

PELLIZCA A SUSANA.

Marga pellizcó a Susana.

—¡Aayyy! —chilló Susana.

REPITE CONMIGO: SOY UNA MEMA.

—S o y u n a m e m a —repitió Marga

—NO LO ERES —intervino Susana.

—S í q u e l o s o y —dijo Marga

—Está hipnotizada —dijo Pablo Diablo.
¡Había hipnotizado de verdad a Marga Cara l a r g a !
Era increíble. Era fantástico.
¡Pablo era un auténtico **maestro de la hipnosis**!

–¿ME OBEDECERÁS, ESCLAVA?

–Te obedeceré –asintió Marga.

–CUANDO CHASQUEE LOS DEDOS,
SERÁS... UN POLLO.

¡CHASC!

–¡cloo, cloo, cloo, cloc!
–cloqueó Marga, aleteando enérgicamente
con los brazos.

–¿Qué le has hecho? –preguntó asustada Susana Tarambana.

–¡Ahí va! –exclamó Renato el Mentecato–. La has hipnotizado.

Pablo Diablo no daba crédito a su suerte.
Si podía hipnotizar a Marga, podía hipnotizar a cualquiera.
Todos tendrían que obedecer sus **ÓRDENES**.

¡Sería el amo del mundo!

¡Del universo!
¡De todo!

Pablo podía ya imaginárselo.

–Pablo, un diez –proclamaría la señorita Guillotina–.
Pablo es tan listo que ya no tendrá que hacer nunca deberes en casa.

¡La señorita Guillotina iba a ver lo que era bueno!

Cuando no la tuviera corriendo
por el patio de recreo
mugiendo como una **vaca**,
le haría bailar danzas hawaianas
con una falda de hierbas.

Obligaría a la señora Vinagreta, **LA DIRECTORA**,
a que diera solo chocolate y pasteles en las comidas
del colegio. Y a que suprimiera la Educación Física.
Para siempre jamás. Pensándolo bien,
haría que la señora Vinagreta cerrara el colegio.

Y en cuanto a su **padre** y a su **madre**...

–**Pablo, puedes comer todos los caramelos que quieras**
–diría su **padre**.

–Puedes ir a la cama cuando quieras –diría su **madre**.

–**Pablo, puedes ver
toda la televisión que quieras**
–diría su **padre**.

–Pablo, toma tu paga...
mil euros semanales.
Dinos si necesitas más
–diría su **madre**, sonriendo.

—¡ROBERTO, VETE A TU CUARTO Y QUÉDATE UN AÑO EN ÉL!
—decretarían su **madre** y su **padre**.

Pablo los hipnotizaría a todos ellos más tarde.
Pero antes de eso, ¿qué hacer con Marga?

¡Ya lo sabía! La casa de Marga estaba atiborrada
de caramelos, dulces y bebidas gaseosas...
todas esas cosas que a Pablo no le dejaban disfrutar
sus espantosos padres.

—Tráenos todos tus caramelos,
todos tus dulces y una Burbucola
a cada uno.

—Sí, MI AMO —respondió Marga Caralarga.

Pablo se estiró en su hamaca. Renato el Mentecato también.
¡Aquello era vida!

Susana Tarambana no sabía qué hacer.
Por un lado, Marga era una cascarrabias mariMANDONA
y la odiaba. Le divertía verle obedecer **ÓRDENES**,
para variar. Por otro lado, a Susana le hubiera gustado
mucho más que Marga fuera «su» esclava, y no la de Pablo.

—Deshipnotízala, Pablo —pidió Susana Tarambana.

—Espera un poco —repuso Pablo Diablo.

–¿Por qué no hipnotizamos ahora a Roberto?
–propuso Renato.

–Vale –dijo Pablo.
Se acabó lo de acusar todo el rato. Se acabó lo de ser
un santurrón y comer verdura y ser el niño perfecto.

¡Qué gozada, hipnotizar a Roberto!

Marga Caralarga regresó de su casa
lentamente. Traía una gran bandeja con bebidas
y un GRAN CUENCO de **mousse de chocolate**.

–Aquí tienes tu Burbucola, mi amo –dijo Marga,
y se la echó a Pablo por encima.

–¿Pe... pero... qué?
–tartamudeó Pablo,
atragantándose y sin aliento.

–Y esta es tu cena,
cara de sapo
–añadió Marga
toda la **mousse** derramando
sobre Renato.

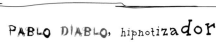

–¡Uuuaaah! –lloriqueó Renato.

–¡OÉÉ, OÉ-OÉ-OÉÉÉ! –atronó Marga–. ¡Habéis picado! ¡Habéis picado!

Roberto, el niño perfecto, se arrastró fuera
del fortín pirata de la Mano Negra.
¿Qué griterío era aquel?

¡Tenía que ser un motín!

–¡Resistid, piratas, que allá voy! –voceó Roberto,
lanzándose a todo gas hacia la agitada hamaca.

¡CRAS!

En el suelo yacían un capitán empapado
y un segundo de a bordo cubierto de **mousse de chocolate**.
Se quedaron mirando a su prisionero.

–Hola, Pablo –dijo Roberto–. Digo, hola, *Capitán*
–dio un paso atrás–. Digo, hola, *Excelente y Eminente Majestad*
–y dio otro paso atrás.

–Esto… Estábamos jugando a un motín pirata, ¿no? –preguntó.

–¡MUERE, GUSANO! –aulló Pablo Diablo,
levantándose de un salto.

–¡MAMÁÁÁÁÁÁÁÁ! –chilló Roberto.

Roberto es apestoso

Roberto es un gusano

CÓMO CONVERTIRSE EN UN MAESTRO HIPNOTIZADOR EN TRES SENCILLOS PASOS.

1) Balancea un reloj frente a la persona que quieres hipnotizar.

2) Dile: «Tienes sueño. Tienes mucho sueño. Ahora te has dormido».

3) Chasquea los dedos y ordénale que sea tu esclavo.

Una tarántula se comió a Elena, ja ja ja.

FMZGZIZMGFOZHVXNRLZVOVMZQZQZQZ

HFHZMZOOVEZYIZTZHZKVHGLHZH

Susana lleva bragas apestosas

NZITZVHFMZKZGZGZ

Marga es una patata

NZIGRMGRVMVFMGIZHVILTIZMWVVMLINVTRTZMGVVVHXL

Martín tiene un trasero grande, enorme, giganteeesco.

FMZGZIZMGFOZHVXNRLZVOVMZQZQZQZ

Una tarántula se comió a Elena, ja ja ja.

ZTIRKRMZTFROOLGRMZXLNVKRLQLH

Agripina Guillotina come piojos

KILSRYRWLVOKZHLZSVINZMLHZKLHNZOLORVMGVH

Prohibido el paso a hermanos sapos malolientes.

XOVNVMGVVHFMIVKVOVMGVSLIIRYOVBZHJFVILHL

Clemente es un repelente horrible y asqueroso.

ILYVIGLVHFMTFHZMLBFMHZKLZKVHGLHL

Roberto es un gusano y un sapo apestoso

Otra opción sería "Roberto es un apestoso sapo gusanoide"

ILYVIGLVHFMZKVHGLHLHZKLTFHZMLRWV

JFRVILFMZXZGZKFOGZBFMNZHZXIZGLIYZMTYZMT

Quiero una catapulta y un Masacrátor Bang-bang

PABLO DIABLO y la canguro INFERNAL

–¡Ni hablar! –graznó Francisca la **Arisca**, colgando violentamente el teléfono.

–¡Ni hablar! –graznó Flor la **Nalhunor**, colgando violentamente el telé

–¡Ni hablar! –graznó Fiona la **Gruñona**.
¿Es que tú crees que estoy loca?

Hasta Filemón el Molón dijo que estaba ocupado.

La **madre** de Pablo Diablo colgó el teléfono y emitió un gemido.
No era fácil encontrar a alguien
que quisiera ser canguro de Pablo Diablo
más de una vez. Cuando vino Francisca la **Arisca**,
Pablo inundó el cuarto de baño.
Cuando vino Flor la **Nalhunor**, Pablo le escondió los deberes
que traía y le derramó accidentalmente zumo de **pomelo rojo**
en la parte delantera de sus vaqueros blancos nuevecitos.
Y cuando vino Fiona la **Gruñona**,
Pablo… Pero no, es demasiado horrible.

Baste decir que Fiona salió a escape de la casa dando alaridos
y que los padres de Pablo
tuvieron que volver muy pronto esa **noche**.
Pablo Diablo no soportaba tener canguros.
Ya no era un bebé,
y no estaba dispuesto a que se le mangoneara.
¿Por qué tenía él que ser simpático con unas adolescentes feas,
presumidas y mandonas que acaparaban la tele
y se atiborraban de sus galletas favoritas?

«Los padres deberían quedarse en CASA, como es su obligación», pensaba Pablo Diablo.

Y esta vez parecía que no iban a tener más remedio, je je.

Sus padres eran mezquinos y rencorosos,

pero sabía manejarlos. Tenía mucha práctica.

En cambio, las canguros eran imprevisibles.

Daban MUCHO TRABAJO.

Y para cuando uno las había doblegado

y se habían enterado de quién mandaba,

por alguna extraña razón, no querían volver.

Las únicas canguros buenas eran las que le dejaban a uno

quedarse levantado toda la **noche**

y comer golosinas hasta ponerse malo.

Desgraciadamente,

a Pablo Diablo NUNCA le había tocado una de esas.

—Tenemos que encontrar una canguro

-gimió su **madre**-.

La fiesta es mañana por la noche. He llamado a todo el mundo.

¿Quién más nos queda?

—Tiene que haber alguien —dijo su **padre**—. ¡PIENSA!

pensó.

Su **madre**

pensó.

Su **padre**

—¿Qué te parece **ELENA**? —sugirió su **padre**.

Los latidos del corazón de Pablo se detuvieron por un momento
y dejó de dibujar bigotes en las fotos
que le habían hecho en el colegio a Roberto, el niño perfecto.

Quizá no había oído bien.
¡Por favor, Elena no! ¡Cualquiera menos... Elena la **HIENA**!
—¿Quién has dicho? —preguntó Pablo con voz trémula.

—Has oído bien —dijo su **padre**—. **ELENA**.

—¡**NO**! —gritó Pablo—. ¡Es espantosa!

—No es espantosa
—dijo su **padre**—. **Es sencillamente... estricta.**

—No queda nadie más
—intervino su **madre**, sombría—. Voy a llamar a Elena.

—¡Es un monstruo!
—gimió Pablo—. ¡A Renato le hizo acostarse a las seis!

—Me gusta acostarme a las seis
—dijo Roberto, el niño perfecto—.
Además, los niños que todavía están creciendo
necesitan dormir sus horas.

Pablo Diablo dio un gruñido y atacó.
Se había convertido

en el **MONSTRUO** de la **Laguna Negra**
que arrastraba al insensato mortal
a su profunda sepultura acuática.

—¡AAAAAAYYYYYYYYYYYYYYYYYYY! —aulló Roberto—.
¡Pablo me está t i r a n d o del pelo!

—**¡Pablo, deja de incordiar!**
—le reprendió su **padre**—. **Tu madre está hablando por teléfono.**

Pablo suplicó para sus adentros:
«Ojalá esté ocupada, ojalá diga que no,
a lo mejor se ha muerto».

Tenía de Elena las peores referencias.
A Arturo el Coco**duro** le había hecho
ponerse el pijama a las cinco de la tarde y,
además, hacer todos sus deberes.
A David el de Madrid le había desenchufado el ordenador.
A Marga Caral a r g a le había hecho fregar el suelo.
Sin ninguna duda, Elena la **HIENA**
era la chica **MÁS DURA** de pelar de la ciudad.
Pablo se tiró sobre la alfombra aullando
mientras su madre daba GRITOS en el teléfono.

—¿Así que puedes? ¡Qué bien, Elena!
No, es la tele… Disculpa por el ruido. Nos veremos mañana.

¡Tin tan!

—¡Yo abriré! —dijo Roberto, el niño perfecto, y corrió hacia la puerta.
Pablo se t i r ó sobre la alfombra.

—¡NO QUIERO CANGUROOOS! —gimió.

La puerta se abrió y por ella entró
la chica más **grandullona**, F E A y con más pinta de infame
y malaúva que Pablo había visto en su vida.

Sus brazos eran ENORMES.

Su cabeza era ENORME.

Sus dientes eran ENORMES.

Parecía como si comiera **elefantes** para desayunar, cocodrilos
para almorzar y se zampara b e b é s para merendar.

—¿Qué se puede comer? —gruñó Elena la Hiena.
El **padre** de Pablo dio un paso atrás.

—**Saca tú misma de la nevera lo que quieras…** —dijo.
—No se preocupe, eso es b que haré —farfulló Elena.

—¡VETE A TU CASA, SO BRUJA! —aulló Pablo.

–¡LA HORA DE ACOSTARSE ES A LAS NUEVE!

–gritó su **padre**, tratando de hacerse oír sobre los aullidos de Pablo.

Con cuidado, pasó de perfil junto a Elena, saltó por encima de Pablo y se precipitó hacia la puerta de la calle.

–¡NO QUIERO CANGUROOOS! –chillaba Pablo.

–Pórtate bien, Pablo –dijo su **madre** débilmente.

Pasó sobre Pablo y salió de la casa a escape.
La puerta de la calle se cerró.
Pablo Diablo estaba encerrado en casa con Elena la **HIENA**.
Miró a Elena, desafiante.
Elena le miró, desafiante.

–Lo sé todo de ti, mal bicho
–gruñó amenazadora–.
Pero a mí no me incordia nadie cuando estoy de canguro.

–¿Ah, no? –replicó–. Eso ya lo veremos.

Elena la Hiena le enseñó los dientes.
Pablo retrocedió.
«Será mejor que me aparte de su camino», pensó.
Así que se metió en el cuarto de estar y encendió la tele.
¡Bieeen! ¡Max, el Mutante Alucinante! ¡Yupiii!
La vida seguiría valiendo la pena
mientras tuviera en la pantalla un programa tan estupendo
como Max, el Mutante Alucinante.
Ya incordiaría a Elena cuando acabara.
Elena entró a GRANDES zancadas en la habitación
y le arrebató el mando a distancia.

183

¡ZAP! TARÁÁÁ, TARÁÁÁ, TARATACHÁÁÁN...
Aparecieron dos bailarines espantosos cubiertos de lentejuelas,
bailando el tango.

—¡Eh, tú! —protestó Pablo—. ¡Que yo estaba viendo
Max, el Mutante Alucinante!

—Te aguantas —dijo Elena—. Yo estoy viendo baile de salón.

¡Zas! Pablo Diablo se apoderó del mando. **¡ZAP!**

—Y vienen mutantes y mutantes
y mas mut...

¡Zas!

¡ZAP! TARÁÁÁ, TARÁÁÁ, TARATACHÁÁÁN.
TARAAATACHÁN, CHAN CHAN.

Pablo Diablo se puso a bailar el tango
deslizándose y resbalando de un lado a otro
por toda la habitación.
    —**Estate quieto** —rezongó Elena.

Pablo cruzaba veloz delante de la tele una y otra vez,
impidiéndole la visión a Elena
y tarareando la música A VOZ EN CUELLO.

—¡TARATACHÁN, TARATACHÁN, TARATACHEEE

—gorjeaba Pablo.

–TE LO ADVIERTO, PABLO... –dijo Elena entre dientes.

Roberto, el niño perfecto, entró en el cuarto.
Se había puesto ya su pijama de conejitos,
se había cepillado los dientes y se había peinado.
Tenía en la mano un tablero para jugar a las damas.

–Elena, ¿quieres jugar una partida conmigo antes de acostarme?
–preguntó.

–¡NO! –rugió Elena–. Estoy intentando ver la televisión.
Cierra el pico y lárgate.

Roberto dio un brusco paso atrás.
–Es que yo creía que... co... como estoy ya listo para irme
a la cama... –tartamudeó.

–Tengo cosas mejores
que hacer que jugar contigo
–gruñó Elena–. Y ahora mismo
os vais a la cama los dos.

–Pero si todavía me quedan
horas y horas
–protestó Pablo–. Quiero ver Max,
el Mutante Alucinante.

–A mí también me quedan horas
–intervino tímidamente
Roberto, el niño perfecto–.
Hay un programa
de naturaleza...

–¡FUERA! –aulló Elena.

–¡**NO!** –aulló Pablo.

–¡GRRRRR!
–rugió Elena la **HiENA**.

Pablo Diablo no supo cómo había ocurrido.
Fue como si el feroz resoplido de un dragón
le hubiera lanzado despedido al piso de arriba.
El caso es que estaba con el pijama puesto y en la cama,
y solo eran las siete.
Elena la **HiENA** apagó la luz.

Ni se te ocurra moverte de esa cama
–dijo apretando los dientes–.
Como te vea, te oiga o siquiera te huela,
vas a arrepentirte de haber nacido.
Yo no me moveré de ahí abajo
y tú no te muevas de aquí arriba.
Así nadie resultará herido.
Y salió del cuarto a paso de carga, dando un **PORTAZO.**

Pablo Diablo estaba tan e s t u p e f a c t o
que no se movió.
No podía creer que ÉL, Pablo Diablo,
domador de canguros, TERROR de profesores
y tirano de hermanos, estuviera en la cama
y con las luces apagadas a las siete en punto.
¡LAS SIETE EN PUNTO!

¡Dos horazas enteras antes de su hora de acostarse!

¡Aquello era insultante! Podía oír la chirriante voz
de Marga Caralarga en la casa de al lado.
Podía oír al pequeño Alfredo el Chupadedo correteando
fuera de un lado a otro en su triciclo.
¡Nadie se metía en la cama a las siete en punto!
¡Ni los más pequeñajos!
Lo peor de todo es que tenía sed.

«¿Qué más da que haya dicho
que me quede en la cama?», pensó Pablo Diablo.
«Tengo sed y voy a bajar a beberme un vaso de agua.
Esta es mi casa y hago en ella lo que quiero».

Pablo Diablo no se movió.

«Me estoy muriendo de sed», se dijo. «Para cuando
vuelvan mamá y papá, me habré convertido en un insecto
reseco como un palo, y entonces sí que se va a enterar».

Pablo Diablo siguió sin moverse.

«Vamos, pies», se animó Pablo para sus adentros,
«llevadme abajo a por un vasito de agua».

¿Qué importaba que la canguro infernal le hubiera dicho
que tenía que quedarse en la cama?
¿Qué podía hacerle, al fin y al cabo?

187

«Podría cortarme la cabeza y echarla a rodar por las escaleras», se dijo Pablo.

¡Aaaaaaaaagggghhhhhhhhh!

«Bueno, pues que lo intente».

De pronto, Pablo Diablo recordó quién era...
**Pablo Diablo era el niño que hacía
que los profesores salieran de clase despavoRIDOS.**

**El niño que había acabado
con la diabólica
mujer del comedor.**

**El niño que se había escapado
de casa Y HABÍA ESTADO
A PUNTO DE LLEGAR AL CONGO .**

«Me levantaré y beberé un vaso de agua», decidió.

Ñe^eec. Ñe^eec. Ñe^eec.

Pablo Diablo caminó de puntillas
hasta la puerta de su dormitorio.
Abrió una rendija con mucho cuidado.
Crac. Luego, m u y, m u y d e s p a c i o,
abrió la puerta un poco más y se deslizó al otro lado.

¡HORROR!

Sentada en lo alto de las escaleras, estaba Elena la HIENA.

«Es una trampa», pensó Pablo.

«Estaba emboscada esperándome. Estoy perdido, soy hombre muerto, mañana por la mañana solo encontrarán mis huesos...».

Pablo Diablo volvió a entrar a toda prisa en su cuarto
y se quedó aguardando resignadamente su suerte.

Silencio.

189

¿Qué estaba pasando?
¿Por qué no estaba ya Elena descuartizándolo miembro a miembro?

Pablo Diablo abrió ligeramente la puerta
y echó una mirada fuera.

Elena la **HIENA** seguía acurrucada en lo alto de las escaleras.
Estaba inmóvil y sus OJOS miraban fijamente
hacia delante.

—Ara... Ara... Araña —susurró,
y apuntó con mano temblorosa a una araña GRANDE y **peluda**

—Es enorme —dijo Pablo—. De lo más peluda
y horrorosa y movediza y...

—¡BASTA! —graznó Elena—. Ayúdame, Pablo —suplicó.

Pablo Diablo no era *capitán* de una intrépida banda
de piratas  por pura casualidad.

—Si arriesgo mi vida y me deshago de la araña —dijo—,
¿podré ver a Max, el Mutante Alucinante.

—Sí —dijo Elena.

—¿Y quedarme levantado hasta que vuelvan mis padres?

—Sí —dijo Elena.

—¿Y comerme todo el helado de la nevera?

—¡SÍ! —chilló Elena—. Pero quita de ahí esa... esa...

—Trato hecho —dijo Pablo Diablo.

Corrió a su habitación y agarró un tarro de cristal vacío.
Elena la **HIENA** se **tapó** los ojos mientras Pablo Diablo
atrapaba la araña.
¡QUÉ HERMOSURA DE BICHO!

—Ya está —dijo Pablo.

Elena abrió sus ojillos enrojecidos.

—¡Muy bien! ¡A la cama otra vez, mocoso!

—dijo Pablo.

—¡A la cama! ¡Ya! —aulló Elena.

—Pero habíamos quedado... —replicó Pablo.

—Te aguantas —atajó Elena—. Eso ha sido antes.

—¡Traidora! —la acusó Pablo.

Sacó el tarro con la araña de detrás de la espalda
y desenroscó la tapa.

—¡En guardia! —exclamó.

—¡AAAYYYYY! —chirrió Elena.

Pablo Diablo avanzó hacia ella, amenazador.

—¡NOOOOOOOO! —gimió Elena, retrocediendo.

—Y ahora métete en ese cuarto y no salgas
—ordenó Pablo—. De lo contrario...

Elena la **HIENA** se escabulló dentro del cuarto de baño
y cerró la puerta con pestillo.

—Como yo te vea, te oiga o siquiera te huela,
vas a arrepentirte de haber nacido —dijo Pablo.

—Ya lo estoy —dijo Elena la **HIENA**.

Pablo Diablo pasó una *deliciosa **velada*** delante de la tele.

Vio películas de TERROR .
Y comió helado, caramelos, galletas y patatas fritas
hasta que no le **CUPO MÁS EN EL CUERPO**.

Brrrrumm Brrrumm

¡Atención! Padres de vuelta.

Pablo Diablo corrió a escape al piso de arriba
y saltó dentro de la cama
justo cuando se abría la puerta de entrada.
Su **madre** y su **padre** contemplaron el cuarto de estar,
lleno de envoltorios de caramelo, migas de galleta
y cubitos de helado vacíos.

–Le has dicho que comiera lo que quisiera...
–dijo la **madre** de Pablo.

–**Aun así** –dijo el **padre** de Pablo–. ¡QUÉ **B R U T A**!

–No importa –declaró la **madre** sonriente–.
Por lo menos ha conseguido meter a Pablo en la cama. POR PRIMERA

Elena la **HIENA** entró en la habitación dando traspiés.

–**¿Has tenido suficiente comida?** –preguntó el **padre**.

–No –dijo Elena la **HIEN**

–**Ah...**
–dijo el **padre**.

–¿Todo bien?
–preguntó la **madre**.

Elena se quedó mirándola.

–¿Puedo marcharme ya? –dijo.

–¿Podrías volver el sábado que viene?
–preguntó, esperanzado, el **padre** de Pablo.

ERO ¿CREEN QUE ESTOY LOCA? –chilló Elena.

En el piso de arriba, Pablo Diablo exhaló un gemido.

¡Qué mal! ¡NO HABÍA DERECHO!
Justo cuando tenía ya a una canguro
perfectamente domada,
por alguna extraña razón, no quería volver.

¡MALVADO ENEMIGO!

Elena la HiENA

ARCHIVO SECRETO DE MALVADOS ENEMIGOS

PEORES ENEMIGOS

ROBERTO

Apodo:
el niño perfecto.

Sus peores rasgos:
Demasiados para contarlos

Sus mejores rasgos:
Ninguno.

Su peor crimen:
Haber nacido.

MARGA

Apodo:
Caralarga.

Sus peores rasgos:
Gruñona, marimandona.

Sus mejores rasgos:
Tiene un garfio pirata,
un sable y un alfanje.

Su peor crimen:
Vivir en la casa
de al lado.

SUSANA

Apodo:
Tarambana.

Sus peores rasgos:
Llorica, quejica, copiona.

Sus mejores rasgos:
Abofetea a Marga.

Su peor crimen:
Unirse al club secreto
de Marga.

CLEMENTE

Apodo:
el Repelente.

Sus peores rasgos:
Siempre presume
de lo rico que es.

Sus mejores rasgos:
Vive lejos.

Su peor crimen:
Intentar engañarme
para que creyese
que su casa estaba
encantada.

MARTÍN

Apodo:
el Figurín.

Sus peores rasgos:
Cretino con mala uva
y traidor.

Sus mejores rasgos:
No va a mi colegio.

Su peor crimen:
Meterse en líos
en la oficina
de su padre.

ELENA

Apodo:
la Hiena.

Sus peores rasgos:
Es la chica más dura
del lugar.
Obliga a los niños
a acostarse pronto

Sus mejores rasgos:
Su miedo a las arañas.

Su peor crimen:
¡Hacerme ir
a la cama a las siete!

LAS PEORES CANGUROS

Francisca la Arisca

Flor la Malhumor

Fiona la Gruñona

Elena la Hiena

OTRAS COSAS QUE ODIO

Los deberes

Las vacaciones aburridas

Las excursiones

El aire puro

La comida sana

La hora de irse a la cama

LAS PRINCIPALES VICTORIAS

Convencer a Martín el Figurín de que se fotocopiase el trasero.

Cambiarle los regalos de Navidad a Clemente el Repelente.

Echar una bomba fétida en el club secreto de Marga.

Fichar a Susana Tarambana como agente doble.

Vencer a Elena la Hiena.

Ser más viejo, más grande y más listo que Roberto,
el niño perfecto.